Oetinger

Juma Kliebenstein, 1972 im Saarland geboren, studierte Germanistik und Anglistik und war als Lehrerin tätig, bevor sie beschloss, sich ganz dem Schreiben zu widmen. Ihr erstes Kinderbuch »Tausche Schwester gegen Zimmer« erschien 2009 und wurde sogleich für mehrere Buchempfehlungslisten ausgewählt. »Ein wirklichkeitsnahes Debüt, das die Krise ernst nimmt, aber dabei urkomisch ist«, urteilte Radio Bremen. Mehr über die Autorin unter www.juma-kliebenstein.de

Alexander Bux, 1970 in Augsburg geboren, hat als Kind am liebsten Drachen und andere Monster gemalt. Später studierte er Grafikdesign und war in einer Werbeagentur tätig. Heute lebt und arbeitet er als freier Illustrator in Hamburg und gestaltet mit großer Freude Kinderbücher.

Juma Kliebenstein

Der Tag, an dem ich cool wurde

Zeichnungen von Alexander Bux

Verlag Friedrich Oetinger · Hamburg

Juma Kliebenstein bei Oetinger

Tausche Schwester gegen Zimmer (als Buch und als Hör-CD)
Der Tag, an dem ich cool wurde (als Buch und als Hör-CD)

FSC

Mix
Produktgruppe aus vorbildlich
bewirtschafteten Wäldern,
kontrollierten Herkünften und
Recyclingholz oder -fasern

Zert.-Nr. SGS-COC-001940
www.fsc.org
© 1996 Forest Stewardship Council

© Verlag Friedrich Oetinger GmbH, Hamburg 2010
Alle Rechte vorbehalten
Einband und Illustrationen von Alexander Bux
Satz: Dörlemann Satz GmbH, Lemförde
Druck und Bindung: GGP Media GmbH, Pößneck
Printed 2010/V
ISBN 978-3-7891-4045-7

www.oetinger.de

Kennt ihr Murphy?

Edward A. Murphy war ein amerikanischer Ingenieur, der die
»Alles geht schief, was schiefgehen kann«-Gesetze erfunden
hat. So was wie, dass ein hinunterfallendes Marmeladenbrot
hundertprozentig mit der bestrichenen Seite auf dem Teppich
landet. Ich kann das Gesetz noch erweitern: Es fällt garantiert
gerade dann auf einen Teppich, wenn er neu ist und Mama in
der Tür steht, die sofort loskeift: »Ich hab dir schon hundert-
mal gesagt, du sollst dir einen Teller holen!« Unser Physik-
lehrer sagt, eigentlich war ein anderer Amerikaner namens
Campbell der Erfinder dieser Gesetze. Wer auch immer es
war, er hatte recht.

Wenn etwas auf verschiedene Weisen schiefgehen kann, wird es so schiefgehen, dass es den größtmöglichen Schaden anrichtet. (Murphys Gesetz Nummer sechs)

Fehlstart: Der Antrieb klemmt

Ich stecke fest.
Ich stecke komplett fest.
Da kann ich ruckeln und strampeln, wie ich will, es geht nichts. Kein Zentimeter.
Ich bin eingezwängt in eine orangefarbene Plastikrutsche in unserem Freibad und komme nicht vor und nicht zurück. Es ist stockfinstere Nacht, ich bin allein und einsam und es ist gruselig. Manchmal höre ich eine Eule: Hu-huuuuu-hu, hu-huuuuu-hu.
Es ist schon sehr spät, mitten in der Nacht. (Genau weiß ich es nicht, weil ich meine Armbanduhr nicht sehen kann, mein Arm steckt nämlich genauso fest wie der ganze Rest von mir, und das ist nicht wenig.)
Jetzt muss ich warten, bis jemand kommt und mich aus dieser Lage befreit, und das kann dauern. Karli, mein bester (und einziger) Freund, ist nämlich gerade erst ein paar Minuten weg, um Hilfe zu holen, und dafür muss er ein ganzes Stück weit laufen.
Es graust mir jetzt schon davor, dass gleich einige Leute auftauchen werden, die mich aus der Plastikröhre ziehen und sich dabei schlapplachen werden. Bestimmt sind Polizisten dabei und bei meinem Pech wohl auch noch die Feuerwehr.

7

Lucas' Vater ist bei der freiwilligen Feuerwehr. Damit weiß es Lucas, mein Todfeind, spätestens morgen beim Frühstück. Spätestens nach der ersten kleinen Pause lacht dann die ganze Klasse, und nach der ersten großen Pause lachen sie alle, die ganze Schule.

Und diese grauenvolle Vorstellung ist noch die beste Variante von den Es-geht-in-die-Hose-Szenarien.

Das Allerschlimmste wäre, wenn jetzt die FabFive hier auftauchen und mich eingeklemmt in der Rutsche finden würden. Das wäre das Ende, der Super-GAU, der finale Todesstoß für meine Person und muss unter allen Umständen verhindert werden. Deswegen ist Karli eben losgerannt, als wäre der Teufel persönlich hinter ihm her, denn die FabFive werden hier auftauchen. Fragt sich nur, wann. Und genau deswegen

sind Karli und ich eigentlich hierhergekommen: Wir wollten unsere Todfeinde überraschen. Die haben nämlich heimlich geplant, heute um Mitternacht ins Freibad einzusteigen und dort herumzuplanschen. Das ist bei ein paar Leuten aus den oberen Klassen gerade der angesagte Sommerspaß. Und weil die FabFive sich für die Coolsten unserer Klassenstufe halten, wollten sie sich natürlich auch nachts im Freibad lässig wie die Großen im Becken herumfläzen. Blöd, wie sie sind, haben sie sich aber belauschen lassen. Die dachten wirklich, niemand bemerkt es, wenn sie sich während der großen Pause, wo alle auf den Schulhof müssen, im Heizungskeller verstecken! Tja, und da war für Karli und mich klar, dass das die Gelegenheit war, uns an den FabFive zu rächen. Wir haben nämlich mit diesen oberfiesen Kerlen eine gewaltige Rechnung offen.

Karli muss einfach schneller als die Fabs sein und vielleicht eine geniale Idee haben, wie ich aus dieser blöden Rutsche rauskomme, bevor die Fabs auftauchen. Heute Nacht müssen wir die Gewinner sein, denn wenn unser Plan doch noch funktioniert, dann sind die Fabs das Gespött der Schule, und Karli und ich haben endlich unsere Ruhe.

Ich habe ja gerade ohnehin nichts Besseres zu tun, also erzähle ich euch jetzt von Anfang an, was es mit dem Krach zwischen den FabFive und Karli und mir auf sich hat und was wir geplant haben, um uns zu rächen.

Der Countdown läuft.

... 10: Über mich und meinen blöden ersten Schultag

Jetzt muss ich wohl erst mal was über mich erzählen. Ich heiße Martin und bin elf Jahre alt. Ich gehe in die sechste Klasse des Ludwig-Erhard-Gymnasiums. Eigentlich bin ich ein ganz normaler Junge. Ein bisschen dick vielleicht. Mein Gesicht ist nicht dick, aber vom Hals an abwärts geht's aufwärts mit dem Gewicht. (*Beleibt* habe ich irgendwo aufgeschnappt. Das Wort gefällt mir.)

Und das Zweite, was mich nicht so aussehen lässt, wie ich gern aussehen würde, ist meine grauenvolle Brille. Sie hat zentimeterdicke, viereckige Gläser, hinter denen meine Augen winzig klein wie Stecknadelköpfe sind, und obendrein auch noch einen feuerroten Rand. Damit muss ich jetzt herumlaufen, weil der Verkäufer damals zu meiner Mutter gesagt hat: »Das ist ein todschickes Modell. Peppig, richtig fetzig ist das!«

Damit kriegt man meine Mutter immer: *peppig, fetzig, todschick.* Mit der Brille sehe ich aus wie eine vierzigjährige Fernsehmoderatorin. Ich hoffe ja immer noch, dass das Ding im Sportunterricht mal kaputtgeht. Das ist auch der einzige

Grund, warum ich überhaupt beim Sport mitmache. Als ich meine Mutter überreden wollte, mir eine neue Brille zu kaufen oder besser noch Kontaktlinsen (meine blauen Augen gefallen mir nämlich ganz gut, nur sieht man sie hinter der Brille kaum), hat sie ganz erstaunt gefragt: »Waaaaaas? Die Brille ist doch todschick, richtig peppig schaust du damit aus! Und sie hat eine ganze Stange Geld gekostet.«

Und damit war das Thema vom Tisch.

Jetzt könnt ihr euch ja ungefähr vorstellen, dass ich nicht gerade der Schönling der Klasse bin. (Wobei ich finde, mein Gesicht ist gar nicht schlecht.) Mein Papa Eric, der auch ein bisschen beleibt ist, sagt immer, ich soll mir nichts daraus machen, je älter ich werde, desto schöner werde ich auch (was ich aber nicht so recht glauben kann, er selbst ist nämlich heute dicker als früher), und Mama sagt, es ist sowieso wichtiger, wie man ist, als wie man aussieht. Sie hat da gut reden. Mama ist dafür, dass sie schon fast vierzig ist, noch ganz hübsch. (Sie keift ziemlich oft rum, aber das ist Papa egal, wenn er sie anguckt, glaube ich.)

Jedenfalls erzähle ich zu Hause nicht so gerne von der Schule, weil Mama und Papa nicht verstehen würden, dass ich dort ständig mit den FabFive Stress habe. Das hat schon am ersten Schultag angefangen.

Ich weiß noch genau, wie ich damals mit meiner Mutter in der großen Aula saß, zusammen mit vielleicht hundert anderen, und darauf gewartet habe, in meine neue Klasse eingeteilt zu werden.

Mann, hab ich mich unwohl gefühlt. Meine Mutter hatte mich in ein hellrosa Hemd gezwängt (sie sagte dazu *lachs-*

farben – topmodern!), wegen des festlichen Anlasses und so. Die Farbe des Hemdes hat sich ziemlich mit meiner roten Brille gebissen und außerdem saß es ziemlich knapp. Ich war gerade ein paar Tage vorher wegen meiner Plattfüße beim Arzt gewesen, und der hatte mich schräg angesehen und gesagt, ich hätte wohl wieder zugenommen und da müsste man was machen.

Ich fühlte mich an diesem ersten Schultag also absolut nicht wohl in meiner Haut. Irgendwie hatte ich schon geahnt, dass das alles nicht so toll für mich laufen würde.

Auf dem Platz vor mir saß ein Junge mit blonden Haaren und Surferklamotten, der die ganze Zeit Kaugummiblasen machte und sie laut platzen ließ. Seine Mutter störte das nicht, aber meine, weil oben auf der Bühne der Direktor schon mit seiner Begrüßungsrede angefangen hatte.

»Kannst du mal aufhören mit dem Geknalle«, hat sie gesagt. »Man wird ja taub, und ich hör nicht mehr, was der Direktor erzählt.«

Der Junge hat sich umgedreht und meine Mutter angegrinst. Er hat eine riesengroße Kaugummiblase gemacht und sie besonders laut knallen lassen.

»Aber Lucas«, hat seine Mutter zu ihm gesagt. »Jetzt warte doch mal mit deinem Kaugummi bis nachher, ja?«

Mama sah aus, als ob sie gleich platzen würde. Sie kann es nicht leiden, wenn ihr jemand dumm kommt, und schon gar nicht kann sie es leiden, wenn dieser Jemand auch noch dreißig Jahre jünger ist als sie und aussieht wie ein Möchtegernsurflehrer.

»Was ist das denn für ein frecher Rotzlöffel«, hat sie wütend

12

gesagt. »Geht mir noch nicht mal bis zum Nabel und führt sich auf wie der King persönlich!«

Wenn Mama wütend ist, ist sie laut. So laut, dass sich gleich die Leute aus der Reihe vor uns umdrehten. Alle, nur dieser Lucas und seine Mutter nicht. Ich habe aber gesehen, dass Lucas' Mutter rot geworden war. Ich wurde übrigens auch rot. Mir war das alles peinlich.

Mama sagte nichts mehr, und die Leute drehten sich wieder nach vorne, wo der Direktor damit begonnen hatte, die neuen Schüler aufzurufen, um sie in Klassen einzuteilen.

Ich war ziemlich aufgeregt, weil mein Name bald dran sein würde. Ich heiße nämlich Ebermann mit Nachnamen und E ist ja einigermaßen weit vorne im Abc. Der blonde King Lucas aus der Reihe vor mir wurde aber tatsächlich noch früher aufgerufen, weil er Berger heißt. Er ist so lässig nach vorne gegangen und hat dabei Kaugummiblasen gemacht, dass Mama tief Luft geholt und geguckt hat, als wolle sie ihm am liebsten ein Bein stellen. Nachdem Lucas die Treppe zur Bühne hochstolziert war, wurde er in die 5c eingeteilt und stellte sich zu einem blassen Lehrer, der aussah, als würde er gleich vor Müdigkeit nach vorn kippen. Der hat Lucas nur ganz kraftlos die Hand hingehalten und irgendwas vor sich hin gemurmelt. Lucas hat sich breitbeinig oben hingestellt und weiter Kaugummiblasen gemacht. Der Direktor hat zwar die Augenbrauen hochgezogen, aber nichts gesagt. Ich fand es grauenvoll, jetzt gleich da hochzumüssen, so beleibt und mit der grausigen Brille. Wenn ich bloß nicht zu diesem Schönling Lucas in die Klasse kam! Aber wenn es vier Klassen gab, war es doch ziemlich unwahrscheinlich, ausgerechnet mit diesem Blödmann in eine Klasse zu kommen. Genauer gesagt, bestand eine fünfundzwanzigprozentige Wahrscheinlichkeit. Geringer als die, beim Münzenwerfen zu verlieren.

»Ebermann, Martin«, riss mich die Stimme des Direktors aus meinen Überlegungen, und Mama stieß mich an.

»Los, hoch!«, flüsterte sie mir ins Ohr und schob mich auf den Gang. Mann, war das furchtbar. Ich hatte das Gefühl, alle glotzen mich an und kichern. Auf der Bühne ließ Lucas eine Kaugummiblase platzen und feixte mich an.

Ich merkte, wie ich rot wurde
    (Weiterlaufen!)
wie mein Hemd auf dem Rücken klebte
    (Wieso gucken die mich alle an?)
wie die Brille auf der Nase rutschte
    (Hilfe, gleich kommt die Treppe!)
wie mein Hals trocken wurde
    (Hoffentlich muss ich nicht reden!)
und die Hose ein bisschen rutschte
    (Festhalten!!! Festhalten!!!)

Dann ging es die Stufen hoch.
Eins,
zwei,
dr…
Zack!
Da lag ich dann. Natürlich bin ich gestolpert. *Natürlich.* Ich habe im Stolpern noch überlegt, was peinlicher ist: liegen bleiben und sich tot stellen oder aufstehen und da hochklettern.

Ich habe mich aufgerichtet und gehört, wie ein paar gekichert haben. Einer von den Lehrern ist mir entgegengekommen und hat mir die Hand hingestreckt, damit ich leichter aufstehen konnte. Noch nie, niemals in meinem Leben, war mir irgendetwas so peinlich gewesen. Ein hübsches Mädchen, das in der ersten Reihe saß, lachte laut.

Wer noch gelacht hat, war der blöde Lucas.

Und dann ...

»Ebermann, Martin«, hat der Direktor noch einmal gesagt.

»Fünf c!«

Bingo.

Ich bin wie im Traum dahin gelaufen, wo der müde, blasse Lehrer der zukünftigen 5c stand. Und ein paar grinsende Jungs. Und natürlich King Lucas.

Ich habe mich nicht genau neben ihn gestellt, aber ich habe es trotzdem gehört.

Ein Quieken. Dann ein Grunzen.

»Mister Piggy, der Eber«, hat Lucas den beiden anderen Jungen neben ihm zugezischt. Und die haben gegrinst.

Da stand ich, beleibt, in einem hellrosa Hemd *(lachsfarben!)*, mit einer *todschicken* Brille und einem eingerissenen Hosenbein, und habe mich ans andere Ende der Welt gewünscht.

Und Rache habe ich geschworen, heiße Rache!

Apropos heiß, es wird ganz schön frisch, wenn man hier nachts im Freibad in einer Rutsche feststeckt. Hoffentlich dauert es nicht mehr so lange, bis Karli zurückkommt. Sonst können wir unsere heiße Rache nämlich vergessen. Na ja, dann nutze ich wenigstens die Zeit und erzähle mal weiter.

... 9: Der Krieg zwischen den FabFive und Mir

Damit fing es also an. Von diesem Tag an hatte ich bei den FabFour (damals waren sie noch zu viert) verloren. Okay, das war tatsächlich ein ziemlich uncooler Auftritt gewesen. Mir war es natürlich furchtbar peinlich, daran zu denken, aber die meisten anderen aus der Klasse hatten das schnell vergessen. Nur die FabFour vergaßen nicht, mich ständig daran zu erinnern.

Die FabFour, die mittlerweile zu fünft sind und auf keinen Fall jetzt hier im Freibad auftauchen dürfen, das waren Noah, Tim, Finn und allen voran Lucas, die selbst ernannten Superhelden unserer Klasse. Sie haben sich *FabFour* genannt, weil sie sich für fabelhaft halten. Die fabelhaften Vier sozusagen. Aber in ihren Ohren klingt das auf Englisch viel cooler, *The Fabulous Four*. Und noch viel cooler finden sie die Abkürzung: *FabFour*. Was sie nicht wissen, ist, dass die Beatles so genannt wurden. Das ist nicht die Art Musik, die die Fabs hören. Ich auch nicht, ehrlich gesagt. Aber mein Vater. Deshalb weiß ich das.

Jetzt, wo sie zu fünft sind, nennen sie sich die FabFive, da ist das mit den Beatles eh egal.

Wir waren damals acht Jungs und siebzehn Mädchen in der Klasse und die FabFour waren die Kings und wir anderen das

17

Fußvolk. Man muss sich das vorstellen wie bei einer Vase: Ganz oben, wo die Blumen rausgucken und die Vase schmal ist, stehen die FabFour. Sie tragen die richtige Kleidung (teuer, Markenlabel so groß wie Frisbeescheiben), die richtigen Frisuren (Gruß vom Strand von Hawaii) und haben immer den richtigen Spruch auf den Lippen (»Was geht ab, Alter?«). Alle sind schlecht in fast allen Fächern außer in Sport, und die Pausen verbringen sie damit, zu prahlen, wohin sie in Urlaub fahren, und damit, ihre Handys zu vergleichen.

Dann, in der Mitte, wo die Vase bauchig ist und das Wasser schon trüb wird, kommen die meisten anderen aus der Klasse. Philipp, Marcus und Jan, die im selben Fußballverein und eine eingeschworene Mannschaft ohne Kontakt zur Außenwelt sind, und die Mädchen. Am Anfang waren, wenn ich die Tuscheleien richtig verstanden habe, alle Mädchen in irgendeinen der Fabs verliebt. Mittlerweile hat sich das aber gelegt. Manche sind mit den Fabs so was wie befreundet, aber die meisten bleiben unter sich, in den typischen Mädchengruppen.

Und dann war da noch ich. Die meisten haben mich gar nicht bemerkt. Ich war nicht mal unbeliebt, einfach nur nicht da. Für die FabFour aber war ich so was wie ein fauliger Brocken Blumenerde, der ganz unten im stinkenden Blumenvasenwasser träge vor sich hin fault. Aus tausend Gründen war ich für die vier das gefundene Fressen, wenn's um blöde Sprüche ging. Erst mal, weil ich (ihrer hochgeschätzten Meinung nach) völlig uncool bin. Außerdem hab ich auch fast überall gute Noten. Dabei bin ich ganz sicher kein Streber, die hasse ich selber wie die Pest. Meine guten Noten kommen einfach daher, dass ich mich für Naturwissenschaften interessiere und für Naturzeugs mit lateinischen Namen (beides auch absolut uncool für die FabFour), und da lern ich halt viel, wenn ich in meinen Büchern lese und mit Experimentierkästen herumexperimentiere. In Sport bin ich dafür eine absolute Niete, da kann man nichts beschönigen. Klar, Übergewicht hilft einem nicht gerade, über einen Kasten von der Höhe eines Pferdes zu hüpfen, und beim Basketball funktioniere ich höchstens als Schiedsrichter problemlos. Alles völlig uncool. Das allein ist es aber gar nicht, warum die FabFour mich wie einen Idioten behandeln. Die anderen in der Klasse sind auch keine Schönheiten (außer vielleicht Selina) oder supercool.

Sie sind auch deshalb so blöd zu mir gewesen, weil ich immer alleine war. Ich gehörte zu keiner Gruppe dazu. Das hat sich einfach so ergeben. Ich interessiere mich nicht für Fußball und Hip-Hop und was sonst noch so angesagt ist, und ich wollte erst mal abwarten, wie die anderen drauf sind. Als ich gemerkt hatte, dass bis auf die FabFour eigentlich alle ganz okay waren, hatten sich schon Grüppchen gebildet und ich war außen vor. Klar hätte ich auch gern einen Freund in der Klasse gehabt, aber es war halt niemand dabei, der gepasst hätte. Tja, und jemand, der ein bisschen wie ein Freak aussieht und noch dazu keinen Freund in der Klasse hat, der ist prima zum Ärgern für die, die sich für die Coolsten halten.

Das fing schon morgens im Bus an. Zwei Stationen nach mir stiegen Lucas und Noah ein. Anfangs machten sie nur blöde Witze über mich. Ich sagte dann nichts und guckte aus dem Fenster. Was sollte ich auch machen, alleine gegen die beiden. Nach ein paar Wochen wurden sie dreister. Sie schubsten mich oder traten mir auf den Fuß. Einmal kippten sie meinen Rucksack aus. In der nächsten Kurve flogen meine Stifte, Hefte und Pausenbrote durch die Gegend. Der Busfahrer brüllte nur, wem die Sachen gehören würden, und ich musste mit rotem Kopf zwischen den Sitzen herumkriechen und alles wieder einsammeln, während die anderen feixten.

Irgendwann, an einem kalten Wintertag, schlich Lucas von hinten an mich heran.

»Na, Mister Piggy«, sagte er. »Gehst du heute an der Leine spazieren?« Er riss an meinem Schal herum.

Noah tauchte vor mir auf und lachte.

»Vielleicht sollten wir den Eber festbinden«, sagte er. »Bevor er uns davongaloppiert.« Er quiekte und band mir im Rennautotempo den Schal ab.

»Hey, lasst das!«, rief ich, aber das kümmerte keinen. Rangeleien gab es bei allen, da mischte sich keiner ein. Außerdem hatte niemand Lust, das nächste Opfer der beiden zu sein.

Lucas und Noah lachten nur und banden mich so schnell mit den Händen an die Haltestange, dass ich mich überhaupt nicht wehren konnte.

Als wir an der Schule ankamen, drängelten sich alle auf einmal aus der Tür.

»Viel Spaß, Mister Piggy«, sagte Lucas. »Und denk dran: Beim Schlachthof ist Endstation. Da musst du aussteigen!«

Dann stieg er mit Noah grölend aus dem Bus.

Ich musste nach dem Busfahrer rufen, damit er mich losmachte.

»Als ob ich nichts anderes zu tun hätte«, knurrte er vor sich hin.

Nachdem Lucas an einem besonders kalten Wintertag meine Mütze aus dem Fenster geworfen und der Busfahrer absolut keine Lust hatte, deswegen umzukehren, beschloss ich, dem Ganzen aus dem Weg zu gehen und einen Bus früher zu nehmen. Damit hatte ich dann zwar meine Ruhe, aber irgendwie fuchste es mich doch ungeheuer, dass ich klein beigegeben hatte. Aber was sollte ich machen, alleine hatte ich einfach keine Chance gegen diese Blödmänner, da war das einfach das Beste.

Manchmal ließen mich die Fabs auch in Ruhe, wenn sie gerade andere Sachen im Kopf hatten und mit sich selbst beschäftigt waren, aber es gab immer wieder Zeiten, in denen es ihr Hauptspaß war, mich zu ärgern. Und manchmal hätte ich mir in den Hintern beißen können, weil ich ihnen auch noch selbst eine tolle Vorlage geliefert hatte.

An einen Tag kann ich mich noch ganz besonders gut erinnern.

Es war …

... 8: ... der Tag, an dem ich beschlossen habe, nur noch Schwarz zu tragen

Der Tag, von dem ich euch jetzt erzähle, hat schon so blöd angefangen, wie ein Tag nur anfangen kann.

Als ich wach geworden bin, habe ich gemerkt, dass was nicht stimmte. Klare Sache: Ich hatte verschlafen. Die Uhr an meinem Bett stand auf sieben. Normalerweise stehe ich um halb sieben auf. Mich wunderte, dass Mama noch nicht nachsehen gekommen war. Ich sprang also aus dem Bett (na ja, springen ist wohl übertrieben) und ging runter in die Küche. Und da wurde mir klar, warum Mama vergessen hatte, mich zu wecken: Mama und Papa stritten sich. Das tun sie oft. Nicht wirklich schlimm, sondern einfach so, Zanken ist irgendwie so was wie ihr Hobby. Wie andere Leute Briefmarken sammeln, streiten sich Mama und Papa über jeden Mist. Eine halbe Stunde später ist meistens alles wie vorher und sie lachen gemeinsam über den Streit. Jetzt allerdings war er noch in vollem Gange.

»Rosi muss verschwinden!«, brüllte Mama gerade.

»Ich hab dir ja gesagt, sobald ich dazu komme!«, schrie Papa zurück.

Rosi ist eine Tätowierung auf Papas rechtem Oberarm. Er nennt das Rosi-Tattoo und überhaupt die Rosi eine Jugendsünde. Mama regt sich schon über das Tattoo auf, solange ich denken kann, und Papa verspricht schon genauso lange, es wegmachen zu lassen.

Als ich reinkam, sagte Mama »Guten Morgen«, und Papa sagte auch »Guten Morgen«, und dann sagte Mama zu Papa: »Wenn Ostern und Weihnachten auf einen Tag fallen, dann vielleicht«, und Papa wollte gerade was erwidern, als ich sagte: »Es ist sieben. Ich hab den Bus verpasst.«

Mama starrte mich an und fauchte dann in Richtung Papa: »Das ist *deine* Schuld, wegen *dir* habe ich Martin nicht geweckt!«

»Nicht *ich* bin schuld, sondern *Rosi*«, hat Papa gesagt, und Mama sah aus, als wollte sie ihn liebend gern zum Frühstück verspeisen. Dann schubste sie mich an, brüllte: »Komm!«, und rannte schon los zum Auto. Ich hüpfte in die erstbesten Kleider, die ich finden konnte, schnappte meine Schultasche und raste hinterher. Dann brausten wir auch schon los. Mama hat sich furchtbar beeilt, sodass wir gerade noch rechtzeitig vor dem ersten Läuten bei der Schule ankamen.

Ich bin aus dem Auto gesprungen und losgerannt, so schnell ich konnte. Erst oben in der Klasse, als ich mich hingesetzt hatte, ist mir aufgefallen, dass ich meinen Rucksack im Auto vergessen hatte. Ich wollte gerade aufstehen, als unser Biologielehrer hereinkam. Er hatte noch nicht richtig »Guten Morgen« gesagt und die Tür hinter sich geschlossen, als es klopfte und die Tür wieder aufging.

Meine Mutter kam herein, den Rucksack schwenkend.

Ihr Haar war zerzaust, die Backen rot und sie atmete schwer. Wahrscheinlich war sie die Treppen hochgerannt.

»Entschuldigung«, sagte sie zu Herrn Billinger. »Mein Sohn hat seine Schultasche im Auto vergessen.«

Mama kam zu meinem Platz.

»Hier, Schatz«, sagte sie und hielt mir den Rucksack hin.

Und jetzt sah ich etwas, das ich in der ganzen Eile vorher nicht bemerkt hatte. Ich dachte, mich trifft der Schlag.

Meine Mutter trug noch ihren blau-rot gestreiften Schlafanzug! Sie sah aus wie ein Panzerknacker aus *Donald Duck*!

Ich hörte, wie einige kicherten. Dann wurde das Lachen lauter. Mein Gesicht wurde heiß. Bestimmt war ich rot wie ein Krebs.

»Ich hab dir für die Pause den Obstsalat von gestern reingetan«, sagte Mama, und ich war kurz davor, in Ohnmacht zu fallen, so peinlich war mir alles.

»Ääähm«, sagte ich und Mama machte sich endlich auf den Rückweg.

»Entschuldigung«, sagte sie noch mal zu Billinger.

Der guckte aber nur auf ihren Schlafanzug. Mama schaute an sich hinunter. Ich an ihrer Stelle wäre im Boden versunken. Mama nicht. Sie lachte.

»Oh«, sagte sie. »Da gehe ich mal schnell wieder nach Hause. Wie es aussieht, schlafe ich ja noch und gehöre ins Bett.«

Damit ging sie aus der Tür.

Die ganze Klasse brüllte vor Lachen. Billinger hustete. Ich weiß nicht, ob ihm das alles auch peinlich war oder ob er versuchte, nicht zu lachen.

»Ruhe!«, rief er dann, und nach und nach wurde es wieder einigermaßen still. Die ganze Stunde über hörte ich aber immer wieder ein unterdrücktes Kichern hinter mir.

In der kleinen Pause kamen die FabFour zu meinem Platz und bauten sich um mich herum auf.

»Deine Mutter ist wohl aus dem Gefängnis abgehauen«, sagte Lucas.

Die anderen lachten.

»Du hast zu viele Comics gelesen«, sagte ich wütend.

»Und einen Obstsalat hat sie dir eingepackt«, sagte Finn mit verstellter Frauenstimme.

»Gut zum Abnehmen«, sagte Noah und guckte auf meinen Bauch.

Ich stand auf. Ich wollte aufs Klo gehen, da hatte ich wenigstens immer meine Ruhe.

»Lasst mich vorbei«, sagte ich.

Die Fabs machten natürlich keinen Platz. Sie glotzten mich ungläubig von oben bis unten an. Dann prusteten sie laut los.

»Wie sieht *der* denn aus«, jaulte Finn und hielt sich den Bauch vor Lachen.

»Boah!«, brüllte Lucas und ähnlich blöd lachten auch Noah und Tim.

Ich traute mich kaum, an mir runterzusehen, aber was blieb mir anderes übrig?

Dann musste ich gewaltig schlucken.

Ich hatte heute Morgen in der Eile das Erste gegriffen, was mir in die Finger gekommen war.

Und das war ausgerechnet ein babyblaues T-Shirt mit dem Aufdruck *Der beste Bauch der Welt.*

Dieses T-Shirt gehörte Papa. Der zog das an, weil Mama es lustig fand. Ich fand es jetzt ganz und gar nicht lustig. Wahrscheinlich war es bei der Wäsche aus Versehen in meinen

Schrank geraten. Hoffentlich war es wenigstens eingelaufen. Wenn ich jetzt schon in Papas T-Shirts passen würde, wäre ich gänzlich am Boden zerstört.

Hilfe! Ich dachte, ich falle auf der Stelle tot um.

»Der beste Bauch der Welt!«, schrie Lucas.

Die Fabs lachten und brüllten wie die Irren.

Zum Glück klingelte es. Ich hatte mich noch nie so auf eine Deutschstunde gefreut wie gerade jetzt. Während Frau Mork vorne über eine Kurzgeschichte redete, tuschelten und kicherten hinten die FabFour über mich.

In dieser Stunde beschloss ich, nur noch schwarze Sachen zu tragen, mein ganzes Leben lang, damit mir so was nie wieder passieren konnte. Den Rest des Vormittags verbrachte ich auf meinem Platz und stellte mich taub, wenn die Fabs blöde Sprüche von sich gaben.

Nur noch schwarze Klamotten, dachte ich, *nur noch Schwarz!*

Zu Hause, beim Mittagessen, beschloss ich, gleich zu sagen, was ich mir ausgedacht hatte. Papa hatte am Nachmittag frei und saß mit am Tisch. Sehr gut, dann brauchte ich das Ganze nicht zweimal zu erzählen.

»Was?«, sagte Mama erstaunt. »Nur noch schwarze Sachen? Das ist doch wohl ein bisschen sehr trist!«

»Mir wurscht«, sagte ich. »Nur noch schwarze Klamotten. Sonst geh ich nicht mehr aus dem Haus. Nie wieder!«

»Ich weiß gar nicht, was du hast«, sagte Mama.

»Ich schon«, sagte Papa. »Das sieht doch albern aus.« Und er zeigte auf sein T-Shirt auf meinem Bauch.

»Du trägst es doch selber«, sagte Mama.

»Ich bin aber keine elf Jahre alt. In der Schule ist so was peinlich. Die lästern doch bestimmt alle. Nicht wahr?«

Es erstaunte mich, dass Papa das verstand. Aber zugeben, wie schlimm es heute gewesen war, wollte ich auch nicht.

»Ach«, sagte ich. »Ich finde Schwarz einfach besser.« Und zu Mama sagte ich: »Vielleicht tauchst du das nächste Mal nicht im Schlafanzug in meiner Klasse auf!«

»Was machst denn du im Schlafanzug in Martins Klasse?«, fragte Papa Mama interessiert.

Die fing damit an, dass sie heute Morgen wegen des Krachs mit Papa vergessen hatte, sich umzuziehen, und schon waren die beiden wieder in schönster Einigkeit beim Streiten. Mich vergaßen sie darüber zum Glück ganz.

Nach dem Essen verschwand ich in mein Zimmer. Ich machte den Kleiderschrank auf und zog alles, was nicht schwarz war, heraus und warf es auf einen großen Haufen. Der Haufen wurde sehr groß und sehr bunt. Als ich fertig war, lag im Schrank nur ein kümmerlicher Rest an schwarzen Socken und ein paar Unterhosen. Ich schleppte den großen bunten Haufen in den Flur und holte Mama.

»Das zieh ich nicht mehr an«, sagte ich.

Erstaunlicherweise protestierte sie nicht im Geringsten und räumte alles in eine große Sporttasche.

Dann packte sie die Tasche ins Auto, ich musste auch einsteigen und wir fuhren in die Stadt. Mama kaufte mir ein paar schwarze Jeans und T-Shirts und den Haufen alter bunter Kleider brachte sie zum Roten Kreuz.

»Es gibt genügend Kinder auf der Welt, die nichts zum Anziehen haben«, sagte sie. »Die freuen sich über deine Sachen. Wo sie doch alle so todschick sind.«

Ich sah, dass oben in der Tasche das babyblaue *Der beste Bauch der Welt*-T-Shirt lag. Papa fand es wohl auch nicht mehr so toll. Jedes Kind, das dieses T-Shirt würde tragen müssen, tat mir jetzt schon leid. Es tat mir sogar *so* leid, dass ich das T-Shirt heimlich aus der Sporttasche nahm und später zu Hause in die Mülltonne stopfte, ganz nach unten.

Von diesem Tag an trug ich also nur noch schwarze Sachen. Es dauerte noch eine ganze Weile, bis die Fabs aufhörten, jedes Mal »Der beste Bauch der Welt« zu sagen, wenn ich vorbeiging, aber ich, ganz in Schwarz, schritt einfach mit hoch erhobenem Kopf davon und stellte meine Ohren auf Durchzug.

... 7: Von meiner Familie und toten Fliegen

Tja, nun könnt ihr euch so ungefähr vorstellen, wie es für mich in der Klasse war. Natürlich war nicht jeder Tag so peinlich wie der, von dem ich eben erzählt habe. Meistens ist einfach alles langweilig vor sich hin gelaufen: In der Schule war ich für mich alleine, für gewöhnlich hatte ich meine Ruhe und ab und an wurde ich von den FabFour mit ausgesuchten Gemeinheiten geärgert. Zu Hause bekamen wir irgendwann Zuwachs: Mein Opa ist vor einem Jahr pensioniert worden. Und Oma sagte sehr bald, es reiche ihr durchaus, wenn sie Opa so oft sieht wie *vor* seiner Pensionierung. Das bedeutet, sie scheucht Opa morgens aus dem Haus. Er soll dann im Garten arbeiten oder im Keller in seiner Werkstatt oder er soll einkaufen gehen. Zum Mittagessen darf er kommen, danach muss er schauen, was er macht, aber auf keinen Fall darf er ihr jammerig zwischen den Füßen herumstehen, sagt Oma. Das macht Opa dann also meistens bei uns. Irgendwann nach dem Essen schneit er herein und steht bei uns herum. Mama ist darüber nicht sehr glücklich, denn Opa ärgert gerne Leute, besonders Mama, weil die sich immer so schön aufregt. Und Papa sagt dann, Mama soll sich nicht so aufregen, Opa meint es nicht böse. Mama sagt, Opa soll sich endlich mal ein Hobby suchen, andere Menschen werden auch pensioniert und stehen nicht nur in Wohnungsfluren rum und ärgern ihre Schwiegertöchter. Statt im Wohnungsflur rumzustehen, kommt Opa jetzt öfter zu mir ins Zimmer und bringt mir neue Experimentierbücher. Da stehen ganz nette Sachen drin. Während die anderen aus meiner Klasse zusammen ins Schwimmbad gingen oder Musik hörten oder PC-Spiele gegeneinander spielten, saß ich meistens in meinem Zimmer und machte Experimente. Ich bin mittlerweile ziemlich gut darin, aus allem, was man so findet, etwas zu machen, das kracht oder stinkt oder zu etwas nütze ist. Am meisten Spaß macht es, wenn ich Mama oder Papa aus der Fassung bringen kann. Wie zum Beispiel an dem Tag, als ich eine tote Fliege zum Leben erweckte. Jedenfalls fast.

Meine Mutter wollte mich mal wieder vor die Haustür scheuchen. Sie sagt, wenn man immer nur drinnen sitzt, wird man träge und beleibt und matschig in der Birne, aber ich hab mich geweigert. Wie langweilig ist das denn, alleine draußen rumzulaufen? Das macht einfach keinen Spaß.

»Du könntest doch im Garten spielen«, hat sie gesagt und mich so lange zugetextet, bis ich mich irgendwann mit meinem Experimentierkasten auf die Terrasse verzogen habe. Ich habe zwar nicht ganz verstanden, welchen Unterschied es machen soll, ob ich in meinem Zimmer am Schreibtisch sitze oder auf der Terrasse am Gartentisch, und ich glaube, Mama hat es selbst nicht verstanden. Gesagt hat sie aber nichts. Sie ist immer wieder rausgekommen, hat mich betrachtet, den Kopf geschüttelt und geseufzt und ist dann wieder reingegangen. Als sie zum hundertsten Mal rauskam, war ich gerade dabei, eine Fliege aus meiner Cola zu fischen. Vor Kurzem hatte ich in einem Buch gelesen, wie man eine Fliege retten kann, die ins Wasser gefallen ist und dann wie tot auf dem Rücken liegt. Ich habe sie also vorsichtig rausgeholt, auf eine Untertasse gelegt und mit dramatischem Unterton in der Stimme gesagt: »Ich erwecke dich wieder zum Leben!«

»Blödsinn«, hat meine Mutter gesagt, aber sie hat trotzdem zugeguckt, was ich mit der Fliege gemacht habe.

Ich habe den Salzstreuer genommen, das Streurädchen auf mittelgroß gedreht und vorsichtig Salz über die Fliege rieseln lassen.

»Was machst du denn da?«, hat meine Mutter entsetzt gerufen.

Ich hab die Hand über die Fliege gehalten und »Herumsummherumdummdumm« gemurmelt. War natürlich dummes Zeug, aber meine Mutter hat jetzt doch beeindruckt geguckt.

»Na, und nun?«, hat sie gefragt.

»Geduld«, habe ich gesagt und weiter »Herumsummherumdummdumm« gemurmelt.

Dann hab ich die Hand weggenommen und auf einmal hat sich die Fliege aufgerichtet und geschüttelt. Meine Mutter hat aufgeschrien und sich die Hand vor den Mund gehalten.

Die Fliege hat sich geputzt und ist losgeflogen, wenn auch noch ein bisschen benommen, und meine Mutter hat mich angesehen, als hätte sie gerade Houdini, den großen Zauberer, persönlich vor sich stehen. Sie guckt ja oft so einen Kram im Fernsehen, wo Wahrsager Karten legen und so einen Quatsch, aber dass sie tatsächlich geglaubt hat, ich könnte eine tote Fliege wiederauferstehen lassen, hat mich doch fertiggemacht. Ich habe ihr erklärt, wieso die Fliege wieder fröhlich herumflog: Sie *war* nämlich gar nicht tot. Die armen Tierchen bekommen nur keine Luft mehr, wenn sie ins Wasser fallen, weil sie nicht durch einen Mund atmen, sondern durch Tracheen. Das sind Röhrchen, die sie überall am Körper haben, in den Flügeln und in den Beinen. Und wenn da Wasser reinkommt, verstopfen die Luftröhren. Wenn man das schnell genug merkt, streut man vorsichtig Salz auf die Fliege, das zieht das Wasser aus den Röhrchen. Man muss sich beeilen, dann ist die Fliege wieder fit und kann munter weiterfliegen.

Das war das einzig Gute daran, dass ich zu Hause nur Cola light kriege: Mit echter Cola hätte das wegen dem Zucker womöglich nicht geklappt.

»Herrgott«, hat meine Mutter gezischt, »du hast mich fast zu Tode erschreckt!«

Dann hat sie gesagt, daran ist Opa schuld, weil der mir die ganzen Experimentierbücher bringt, und sie ist losgegangen, um ihm die Meinung zu geigen. Darüber hat sich dann wieder Papa geärgert und schon war wieder Stress im Haus.

Tja, so war mein Leben bis vor Kurzem. Wenn es so weitergegangen wäre, hätte ich jetzt nichts zu erzählen.

Vor ein paar Wochen allerdings ist alles anders geworden.

Gerade taucht der Mond aus den Wolken auf. Jetzt sieht man alles recht gut, das Kinderbecken dort am Hügel, den Kiosk, bei dem die Rollläden unten sind, und die spiegelglatte Wasseroberfläche. Mann, ist das unheimlich hier, nachts. Hat sich dahinten bei den Tannen was bewegt? Himmel, ich habe eine

Gänsehaut auf dem Rücken und den Beinen, wie wenn unser Biolehrer mit einem Stück Kreide über die Tafel quietscht. Ich will hier raus! Bevor die Fabs kommen oder ein Meuchelmörder!

... 6: Ich bekomme Verstärkung: Karli taucht auf

Wenn man weiß, dass etwas auf vier Arten schiefgehen kann, und man diese zu umgehen versucht, wird sich ein fünfter Weg finden, auf dem es schiefgeht. (Murphys Gesetz Nummer fünf)

Der Tag, an dem alles anders wurde, war ein Dienstag. Es war alles wie immer: Wände in einer Farbe wie Vanillepudding und Vorhänge wie Karamellpudding, verkritzelte Tische und völlig unbequeme Stühle (wer kein Normalgewicht hat, darf nach ein paar Stunden ein schmerzendes Hinterteil sein Eigen nennen, ich weiß da genau, wovon ich rede).

Also, es war Dienstag, der fünfte Mai, kurz nach acht, da ging die Tür auf und ein bleicher Kerl mit Augenringen schleppte sich herein: unser Klassenlehrer Herr Bodel.

»Guten Morgen«, sagte er, ohne irgendwen anzusehen, und dann Richtung Flur: »Na los, rein mit euch, hier beißt keiner, und ich habe keine Lust, eine Staatsaktion aus euch zu machen.«

Hinter ihm schoben sich zwei Jungs durch die Tür.

»Das sind die Neuen vom Theodor-Heuss-Gymnasium«, sagte Bodel.

Dort war vor ein paar Wochen bei Renovierungsarbeiten Asbest gefunden worden. Das ist ein Mineral, das man früher zum Bauen verwendet hat und das einen ziemlich krank machen kann. Und deswegen durften die Schüler nach den Ferien nicht in ihre Schule zurückgehen (die Lehrer natürlich auch nicht) und wurden auf die anderen Schulen der Stadt verteilt. Ich hatte ganz vergessen, dass die heute kommen sollten.

Da standen nun also die zwei Neuen.

»Am besten stellt ihr euch selbst vor«, sagte Bodel und gähnte. Er ist immer müde und ihn interessiert nichts außer französische Vokabeln. Wahrscheinlich waren die zwei Neuen ihm jetzt schon lästig wie Fliegen.

Der Erste hatte eine ähnliche Frisur wie Lucas, schaute gelangweilt in die Klasse und gähnte. Als er damit fertig war, sagte er ziemlich laut: »Yannic Schubert.«

Der Bodel zuckte zusammen. Er erträgt keine lauten Stimmen. Ich sah, dass dieser Yannic einen Kopfhörer trug. Er hatte zwar eine Kappe auf, aber das schwarze Kabel, das von seinem Ohr bis zur Jackentasche führte, war kaum zu übersehen. Die FabFour grinsten. Lucas sah zu seinem Busenfreund Tim und hob den Daumen. Das Großmaul freute sich natürlich auf jemanden, der genauso supercool war wie er. Aline und Meike kicherten. Ein paar andere Mädchen tuschelten. Klar, für die Hühner war dieser Yannic der neue Star, er sah aus, als käme er gerade von einem Fotoshooting für ein In-Klamotten-Magazin.

Jetzt räusperte sich der andere. Er war klein und dünn und ziemlich blass, ein bisschen wie die Sprühsahne, die ich immer gern auf saftigem Erdbeerkuchen esse. »Karli Rosenberg«, piepste es von irgendwoher, und es dauerte einen Moment, bis ich begriff, dass diese seltsam hohen Töne aus Karlis Mund stammten.

Für ein paar Sekunden war es ganz still in der Klasse. Dann aber knallte es vor lauter Lachen richtig los. Alle haben so gelacht, dass es in den Ohren wehtat.

Mir tat der arme Karli leid. Ich glaube, ich an seiner Stelle wäre jetzt im Boden versunken. Oder rausgelaufen oder was weiß ich.

Karli aber nicht.

Er blieb da vorne stehen und schaute alle an. Ich weiß nicht, wie er das gemacht hat, aber er hat tatsächlich jeden Einzelnen gleichzeitig angeguckt. Dann räusperte er sich wieder.

»Idioten«, sagte er. Laut und deutlich, mit seiner hohen Stimme, hat er gesagt: »Idioten.«

Das war bis in den letzten Winkel zu hören.

Alle waren still. Der Bodel auch. Er hat sogar ein bisschen gezuckt, als Karli ein zweites Mal »Idioten« gesagt hat.

Jetzt drehte sich Karli zu Bodel um.

»Entschuldigung«, sagte er zu ihm, »aber was soll man da sonst sagen.«

Dann seufzte er und drehte sich wieder zur Klasse um und guckte so friedlich, als wäre gar nichts passiert.

Das war der Moment, in dem ich am liebsten aufgestanden wäre, um zu applaudieren. Es war allerdings auch der Moment, in dem noch etwas anderes geschah.

Rrrrrrrtsch, hörte ich ganz leise, so leise, dass man es eigentlich kaum wahrnehmen konnte. Aber weil es nach Karlis Auftritt so still war in der Klasse, war es laut genug. Und dieses *Rrrrrrrtsch* kam aus Karlis Richtung. Und weil sowieso jeder

Karli anstarrte, konnten auch die in den hinteren Reihen, die das *Rrrrrrtsch* vielleicht nicht gehört hatten, sehen, was als Nächstes passierte.

Karlis linkes Ohr ploppte unter seinem Haarbüschel hervor. Es war ein sehr großes, feuerrotes Ohr und daran baumelte ein Stück Klebestreifen. Da ploppte es schon erneut und auch das rechte Ohr sprang aus seinem Haarbüschel hervor. Auch dieses Ohr war sehr groß und feuerrot. Und dann wurde der ganze Karli feuerrot.

Da stand er, mit zwei riesig großen, von seinem roten Kopf abstehenden roten Ohren, an denen Klebestreifen baumelten.

Die ganze Klasse wieherte.

»Ruhe!«, schrie Bodel. Bodel schreit höchst selten, und wenn,

ist es besser, schnell aufzuhören mit dem, was man gerade tut.

Trotzdem dauerte es eine Weile, bis das Gegröle nachließ. Da Bodel von seinem Platz aus gar nicht sehen konnte, was gerade mit Karlis Ohren passiert war, sagte er nur noch: »Äh, ja, setzt euch dahin, wo noch was frei ist, der Rest wird sich schon finden«, und begann, Vokabeln an die Tafel zu schreiben.

Die zwei Neuen machten sich auf, einen Platz zu finden. Karli blieb bei dem freien Stuhl neben mir stehen.

»Kann ich?«, fragte er leise. Seine Ohren glühten immer noch.

»Klar doch«, sagte ich und rückte zur Seite.

Er setzte sich und holte seinen Block und ein Mäppchen heraus.

Es war schwarz mit silberner Aufschrift: *AC/DC.*

Ich grinste. *Endlich mal jemand mit Musikgeschmack,* dachte ich, deutete auf das Mäppchen und hob den Daumen. Ich schob Karli mein Französischbuch hin, auf dem ich einen Gitarristen auf die Spitze des Eiffelturms gemalt hatte. Jetzt grinste auch Karli. Dann rieb er sich hinter den Ohren und warf ein Klebestreifenkügelchen auf den Tisch.

»Ist jetzt eh egal«, murmelte er vor sich hin.

Ich zeigte auf meine Brille und verdrehte die Augen.

Karli kicherte.

Und ab da wurde alles anders.

... 5: Von echter Musik und echten Freunden

Es war das erste Mal, dass ich in der Pause nicht alleine war. Es regnete, und Bodel blieb sitzen, um irgendwelche Vorbereitungen zu machen. So kamen wenigstens die FabFour nicht dazu, Karli blöd anzumachen wegen seines Auftritts. Sie waren damit beschäftigt, um Yannic herumzutanzen wie um das Goldene Kalb.

Karli schüttelte den Kopf.

»Wie peinlich kann es denn sein«, murmelte er vor sich hin.

»Die?«, fragte ich. »Die sind immer so.«

»Nee«, sagte Karli. »Ich hab *mich* gemeint. Eben.« Er zeigte auf das Klebestreifenknäuel, das vor ihm auf dem Tisch lag.

»Mach dir nichts draus«, sagte ich. »Mit peinlichen Auftritten kenn ich mich aus.«

Und dann erzählte ich ihm von meinem ersten Schultag und der Begegnung mit Lucas. Karli grinste.

»Wir sind also hier die Freaks«, sagte er.

»Sieht so aus«, sagte ich.

Und das war das erste Mal, dass es mir *wirklich* gleichgültig war.

Es war der beste Schultag seit Ewigkeiten.

Am Nachmittag – es muss wohl so gegen vier gewesen sein, ich war nämlich mit den Aufgaben fertig und habe auf dem Bett gelegen und gelesen –, da hat es geklingelt. Ich habe mir nichts dabei gedacht, weil für mich ohnehin nie jemand kommt, also war es wahrscheinlich für Mama.

Tja, und dann klopft es und meine Mutter guckt herein mit einem Gesicht, als hätte jemand gerade nach mir gefragt, und sagt: »Martin, da ist jemand an der Tür, der hat gerade nach dir gefragt!«

Sie schaute mich an wie ein seltenes Tier und wartete, dass ich etwas sage, aber hab ich nicht. Was hätte ich denn sagen sollen? Mir fiel ja selber nichts ein, außer, dass es vielleicht ein Witz war, aber so klang es nicht.

»Kennst du den? Er ist ziemlich klein und dünn und sagt, er heißt Karli und ist in deiner Klasse?«

Ich dachte, ich spinne.

»Na, was jetzt? Du hast doch keinen Karli in der Klasse?«, fragte meine Mutter.

»Doch, seit heute«, antwortete ich.

»Und was will der hier?«, fragte sie erstaunt. Sie wusste wohl nicht, was sie denken sollte, denn dass jemand bei uns klingelt und nach mir fragt, hatte es seit der Grundschule nicht mehr gegeben. (Es sei denn, man zählt den Nachbarn mit, der sich bei Mama beschweren wollte, weil ich ihm die Zunge rausgestreckt habe, als er »Na, Martin, noch mal zugelegt, was?« gesagt und laut gelacht hat.)

»Keine Ahnung«, antwortete ich.

»Was soll ich ihm denn sagen?«, fragte meine Mutter.

Da musste ich nicht lange überlegen.

»Schick ihn rauf«, sagte ich.

Meine Mutter schaute mich an wie ein *sehr* seltenes Tier und verschwand wieder. Ich hörte, wie sie zu Karli sagte: »Geh ruhig rauf«, und hatte gerade noch Zeit, mich hinzustellen, da erschien Karli in der Tür und grinste mich an.

»Hi«, sagte er.

»Hi«, sagte ich.

Und dann unterhielten wir uns. Wir haben den ganzen Nachmittag lang gequatscht, über alles Mögliche. Ich hätte nie gedacht, dass das so einfach sein kann. Ich habe Karli meine Experimentiersammlung gezeigt und meine Computerspiele und überhaupt alles, was ich so mache. Er hat sich richtig dafür interessiert. Karli macht nämlich auch Experimente. Ich hätte nie geglaubt, dass ich mal jemanden kennenlernen würde, dem das auch Spaß macht. Außerdem mag er dieselbe Musik wie ich. Rockmusik.

Ich habe alle meine CDs auf einem Regal an der Wand aufgestellt, und auf dem Boden steht eine Kiste mit den Schallplatten, die ich von Papa geschenkt bekommen habe. Wir haben auch noch einen alten Plattenspieler, auf dem man sie hören kann.

»Mann!«, hat Karli gerufen und sich auf die Kiste gestürzt, aus der ein AC/DC-Album ragte. »*Back in Black!* Das ist ja toll! Genau die mag ich so gern, aber ich habe nur die CD. Du hast ja die echte Schallplatte!«

»Sollen wir sie anhören?«, fragte ich.

Ein bisschen seltsam war mir dabei schon zumute. Ich hatte noch nie mit jemand anders außer Papa Musik angehört. Er erzählt mir dabei immer, was er über die Band oder die Lieder weiß. Vieles von dem, was wir uns zusammen anhören, ist aus seiner Jugendzeit. Ich wusste nicht, wie es sein würde, mit jemandem Musik zu hören, den ich noch gar nicht richtig kenne.

»Klar!«, rief Karli begeistert.

Ich legte die Schallplatte vorsichtig auf den Plattenteller und setzte die Nadel behutsam darauf. Es knisterte aus den Lautsprechern. Das ist das Schöne an Schallplatten: Die Musik klingt besser als von einer CD. Echter irgendwie. Dann begann der erste Song. Wir lehnten uns in den Sesseln zurück und lauschten. Wir hörten die ganze Platte durch und redeten die ganze Zeit nichts, so gebannt lauschten wir den Gitarrenklängen von Angus Young und der Stimme von Brian Johnson. Ich begann, mit den Füßen im Takt zu wippen. Plötzlich hörte ich etwas aus Karlis Richtung: Er sang mit. Und wenn Karli auch eine seltsame Stimme hat und beim Sprechen piepst, beim Singen klingt er fantastisch.

»Du klingst genau wie Brian Johnson«, sagte ich.

»Echt?«, quietschte Karli. Er strahlte über das ganze Gesicht.

»Echt«, sagte ich.

»Ich sollte wohl besser immer singen, statt zu reden, oder?«, meinte Karli.

»Stell dir mal Bodels Gesicht vor, wenn er dich französische Vokabeln abfragt und du singst sie ihm vor«, japste ich und lachte noch mehr. Wir lachten beide so, dass wir uns den Bauch halten mussten. Als wir uns beruhigt hatten, war die Platte zu Ende, und wir legten die nächste auf. Wir hörten noch *Blow up Your Video*, bis es an der Tür klopfte. Es war Mama.

»Gleich gibt's Abendbrot«, sagte sie und sie fragte Karli:
»Magst du bleiben und mitessen?«
Karli sah auf seine Armbanduhr und erschrak. »Schon so
spät? Nee, dann muss ich los! Aber trotzdem danke.«
Er sprang auf und zog seine Jacke an.
Ich brachte ihn noch bis zur Haustür.
»Wenn du magst«, sagte Karli, »komm doch morgen zu mir.
Hast du Lust?«
Da musste ich nicht lange überlegen.
»Klar«, sagte ich.
»Gut«, sagte Karli.
Er sprang auf sein Fahrrad, das an der Hauswand lehnte, und
flitzte los.
»Tschau!«, brüllte er und winkte, bevor er um die Ecke ver-
schwand.

... 4: Die Fabs müssen sich warm anziehen. Papa auch.

Die ersten Tage, nachdem Karli und ich uns angefreundet hatten, waren in der Schule viel angenehmer. Die FabFour mussten sich erst mal daran gewöhnen, dass wir jetzt zu zweit waren, und hatten weder Lust noch Zeit, uns zu ärgern. Sie waren mit Wichtigerem beschäftigt: Yannic wurde in ihren erlesenen Kreis aufgenommen und aus den FabFour wurden die FabFive.

So hatten Karli und ich erst mal eine ruhige Zeit. Wir machten fast jeden Tag etwas zusammen. Meistens war Karli nach der Schule bei mir. Er lebt bei seiner Mutter und die ist Psychologin und den ganzen Tag in ihrer Praxis. Außer mittwochs, da hat sie nachmittags frei, und das ist ihr »Karli-Tag«.

Karli findet die Nicht-Karli-Tage bedeutend interessanter, besonders, seit wir befreundet sind.

»Ich bin doch kein kleines Kind mehr«, stöhnte Karli. »Sie will übermorgen mit mir ins Freibad!«

»Du Ärmster«, sagte ich. Wenn ich mir vorstellte, ins Freibad zu müssen, grauste es mich eh schon. Und dann noch mit meiner *Mutter*?

Huargh.

Wie sich bald darauf herausstellte, machte *meine* Mutter aber noch mehr Probleme als Karlis. Gerade als ich dachte, jetzt läuft mal alles glatt, gab es neuen Ärger. Es fing schon morgens in der Schule an.

Wir hatten Chemie bei Frau Röhrig, die überhaupt keinen Spaß versteht und meistens schlecht gelaunt ist. Außerdem ist ihr Unterricht total langweilig. Fast immer schreibt sie irgendwelche Tafelbilder an, die wir dann abschreiben müssen. Oder sie lässt aus unserem Chemiebuch vorlesen. Beides nicht gerade der Brüller. An diesem Tag war mal wieder ein Tafelbild angesagt.

»Nehmt eure Mäppchen und Hefte heraus und schreibt ab«, sagte sie und fing an, irgendwelche Formeln an die Tafel zu malen. Karli und ich zogen also unsere Mäppchen aus den Taschen und öffneten sie, um einen Stift herauszunehmen.

»Iiiih!«, quietschte Karli.

»Äääh!«, sagte ich im selben Moment.

Etwas Weißes, Zähes floss langsam unsere Finger herunter und tropfte auf den Tisch.

Ich roch daran.

Es war Sahne. *Vergammelte* Sahne.

Von hinten hörte man unterdrücktes Gekicher.

»Was ist denn los?«, fragte Frau Röhrig.

»Ich muss mir die Finger waschen gehen«, sagte ich. »Da ist Sahne in meinem Mäppchen.«

»In meinem auch«, piepste Karli.

»Meine Güte«, sagte Frau Röhrig. »Hier ist es ja schlimmer als in einem Kindergarten!«

Sie stöhnte und schüttelte den Kopf.

»Ich habe mich schon gewundert, dass es so lange ruhig geblieben ist«, sagte ich zu Karli, als wir uns auf dem Schulklo die Hände wuschen.

Es war sonnenklar, dass die FabFive dahintersteckten.

»Mir reicht's jetzt«, sagte Karli. Seine Ohren glühten unter den Haarbüscheln hervor. »Hier geht es genauso weiter wie früher und so langsam ist echt Schluss mit lustig! Ich hab's satt!«

Er war in seiner alten Klasse auch schon immer geärgert worden, genau wie ich in meiner. Yannic und ein paar andere hatten ihn ständig wegen seiner Ohren aufgezogen, und als er begann, sie mit Klebestreifen festzukleben, lästerten sie über seine Piepsstimme.

»Wir können gegen die eh nichts machen«, sagte ich.

»Oh doch«, piepste Karli.

In der nächsten Pause legte er auch gleich los.

Er ging zu unserem Klassenschrank und wühlte darin herum. Als er zurückkam, sah er höchst zufrieden aus.

»Los, geh zu Yannic und lenk ihn irgendwie ab«, sagte er.

»Was hast du denn vor?«, fragte ich.

»Wirst du sehen«, sagte Karli. Er kniff die Augen zusammen und starrte wild entschlossen Richtung FabFive.

Ein bisschen mulmig war mir schon zumute, aber ich wusste, dass Karli recht hatte. Es wurde höchste Zeit, sich zu wehren! Also schlenderte ich zu Yannic hinüber. Mir rutschte das Herz in die Hose. Karli kam hinter mir her. Ich nahm meinen ganzen Mut zusammen und tippte Yannic, der natürlich mit den anderen Fabs zusammen im Flur stand, auf die Schulter.

»Na, Blödmann?«, sagte ich. Ich schwitzte.

Yannic drehte sich um. Er starrte mich ungläubig an.

»*Was?*«, sagte er. »*Was* hast du gesagt, Fettwanst?«
Hoffentlich war Karlis Plan gut.
In diesem Moment sah ich, wie Karli sich von hinten an Yannic heranschlich. Er zog seine rechte Hand, in der offensichtlich etwas verborgen war, hinter dem Rücken hervor. Ich hielt die Luft an.
Und dann rumste es auch schon und etwas troff von Yannics Kopf herunter. Etwas, das fürchterlich stank. Nach faulem Ei.
»Los!«, japste Karli.
Das hätte er nicht zweimal sagen müssen. Wir nutzten die Schrecksekunde und rannten den Flur hinunter zum Schulklo. Wir sprangen in eine Kabine und schlossen ab.
Es dauerte nicht lange, bis wir die Tür auffliegen hörten.
»Ich bringe euch um, ihr miesen kleinen Frettchen!«, brüllte Yannic und rüttelte an der Kabinentür.
Zum Glück klingelte es gerade. Yannic fluchte noch eine Weile herum und trommelte an die Kabine, dann hörten wir Wasser laufen, er brüllte: »Arschgesichter!«, und schließlich schlug die Tür zu. Es wurde still.
»Was hast du denn gemacht?«, fragte ich.
Karli grinste.
»Ich hab ein Ei aus dem Klassenschrank geklaut«, sagte er. »Und es diesem Blödmann auf den Kopf gehauen.«
»Was?«, rief ich. Jetzt war mir auch klar, wo die vergammelte Sahne herkam. Im Klassenschrank lagen nämlich noch ein paar Sachen vom Schulfest herum.
»Ich hab keine Lust mehr, den Affen aus mir machen zu lassen«, sagte Karli.

Und da spürte ich unter meiner Angst noch etwas anderes: Wir würden nicht mehr die Freaks sein, die alles mit sich machen ließen. Schließlich waren wir jetzt zu zweit. Die Fabs konnten sich schon mal warm anziehen!

Mittags ging es zu Hause genauso rasant weiter.
Karli kam gleich nach der Schule mit zu mir zum Mittagessen. Das Gute an diesem Freitagmittagessen war, dass Opa da war, denn er isst jeden Freitag bei uns, weil Oma da ihren Frauenklatsch-Nachmittag hat und sich weigert, ihm ein Essen vorzukochen.
»Ich koch nur, wenn ich selbst was davon habe«, hat sie damals gesagt, als das mit den Frauenklatsch-Nachmittagstreffen anfing. »Das mit der Emanzipation kann doch nicht alles umsonst gewesen sein, das wär ja noch schöner«, hat sie gerufen und ist mit Hut und Handschuhen aus dem Haus gegangen, zu ihrem Frauenklatsch-Nachmittagskaffeekränzchen.
Und, das wusste Opa, wenn Oma so was einmal sagt, dann bleibt das auch so. Er hat ihr hinterhergebrüllt: »Ja, und Mann bleibt Mann, und bevor ich koch, verhunger ich freiwillig!«
Er wollte aber nicht verhungern und ganz sicher nicht kochen lernen, also ist er einfach ins Auto gestiegen, zu uns gefahren und hat sich an den Tisch gesetzt. Das macht er jetzt freitags immer.
Das war das Gute an diesem Freitag. Das Schlechte an diesem Freitag war, dass Papa prima Laune hatte (weil er freitags immer schon um zwölf Uhr freihat) und Mama ganz miese. Das passiert nicht oft, aber wenn, dann ist es überhaupt nicht gut. Weil Mama es nämlich gar nicht leiden kann, dass andere

fröhlich sind, wenn sie wütend ist. Und schon gar nicht kann sie es leiden, wenn derjenige fröhlich ist, auf den sie gerade eine Riesenwut hat.

»Eric«, sagte Mama, »reich mir doch bitte mal die Schüssel mit dem Kartoffelsalat.«

Mama kann selbst einen harmlosen Satz so sagen, dass man Angst bekommt, auch wenn man nicht Papa ist.

Es klingt dann, als hätte sie über die Worte einen Zucker gestreut, der so klebrig süß ist, dass er Papa die gute Laune im Hals verkleben könnte. Papa hat aber nichts gemerkt, sondern nur »Gern, mein Schatz« gesagt und ihr die Schüssel gegeben. Dabei ist sein Hemdsärmel hochgerutscht. Man hat die Rosi-Tätowierung gesehen. Eigentlich nur das *si* von *Rosi* und die Herzspitze und ein Stück vom Rosenstiel. Aber es hat gereicht, um Mama richtig in Fahrt zu bringen.

»Du hast es mir versprochen«, hat sie losgekeift. »Versprochen hast du es mir! Zum fünfzehnten Hochzeitstag wolltest du das Tattoo wegmachen lassen!«

»Jau«, sagte Papa, »aber der ist doch erst am achten«, und dann pfiff er eine fröhliche Melodie.

Mama sah aus, als ob sie ihm gleich an die Gurgel springen wollte.

»Ach ja?«, sagte sie und jetzt wurde aus dem Zucker auf den Worten Pfeffer.

»Sind doch noch fast vier Wochen«, sagte Papa erstaunt, denn den Pfeffer hatte er jetzt bemerkt.

»Meinst du? Ja?« Mama spuckte die Worte aus wie eine versehentlich angebissene Chilischote.

Opa kicherte. Mama warf ihm einen Chiliblick zu.

»Halt du dich da raus«, fauchte sie.
Opa biss sich auf die Lippen, aber
ich sah genau, wie seine Augen lachten.
Das hat Mama aber nicht mehr gesehen, weil sie
jetzt wieder Papa anguckte, und mit dem, was sie als Nächstes
sagte, feuerte sie ihm eine ganze Dose Chilipulver entgegen.
Sie brüllte nämlich: »JA, am achten JUNI!«
Sie atmete laut und Opa hustete und schnaubte und eine
Lachträne rutschte seine Wangenfalten entlang.

Karli guckte von Mama zu Papa und zu mir und wieder zurück. Dann guckten wir alle, Karli, Opa, Mama und ich, zu Papa.

»Juni«, sagte Papa. »Ja.« Und er sah sehr ratlos aus.

Opa holte seinen Stock hervor, den er immer an die Stuhllehne hängt, und zeigte damit auf den Kalender hinter Papa. Papa drehte sich um. Da steckte ein dicker roter Plastikrahmen auf dem Tag heute, so einer, den man verschieben kann, und der rahmte ein:

Freitag, 8. Juni

Papa sah noch ratloser aus als vor einer Minute. Karli hatte es schon kapiert. Opa sowieso.

»Ich mach mir gleich in die Hose«, japste er, klopfte sich auf die Schenkel und lachte so, dass ihm ein Petersilienstängel aus dem Mund flog.

Ich hatte es auch gecheckt, nur Papa nicht, und das gab Mama den Rest.

»HEUTE!«, brüllte sie und warf ihre Gabel auf den Tisch. »Unser Hochzeitstag ist HEUTE!«

Papa schluckte. »Das …«, sagte er, »das hab ich … also …«, und dann sagte er gar nichts mehr.

Mama war aber noch nicht fertig.

»Ich«, sagte sie, und jetzt klang sie ganz ruhig, »werde jedenfalls *nicht* mehr mit Rosi in einem Bett schlafen. Endgültig nicht. Ich ziehe zu Renate!«

Renate ist Mamas Schwester.

Dann stand sie auf.

51

»A… aber …«, stotterte Papa hilflos.

»Feigling«, fauchte Mama. »Fünfzehn Jahre – *fünfzehn! –* hab ich Geduld gehabt, aber jetzt ist Schluss! *Ich* komme wieder, wenn *Rosi* weg ist!«

Und dann stürmte sie aus dem Esszimmer. Papa wollte aufstehen, aber Opa hielt ihn am Arm fest. (Er grinste immer noch.)

»Lass mal, Eric«, sagte er. »Das hat jetzt keinen Zweck.«

»Aber, Susanne …«, wollte Papa wieder anfangen.

Opa tätschelte Papa. »Lass sie mal zu Renate gehen und sich austoben und herumwüten. Weiberschnacken, das braucht sie jetzt. Sie kommt zurück, jede Wette!«

Papa wies stumm auf Rosi und das Herz und die Rosi-Rosen.

»Och«, sagte Opa vergnügt. »Das wirst du doch hinbekommen.« Er hängte seinen Stock zurück und begann zu essen.

Draußen hörte man die Haustür zuschlagen.

Mama war fort.

Man könnte also meinen, es wäre genug geschehen in den letzten Wochen. Wenn das aber alles gewesen wäre, würde ich jetzt nicht wie ein Idiot in einer Plastikrutsche feststecken. Das ist das Ergebnis davon, was als Krönung des ganzen Übels geschah, und zwar genau elf Tage nach Mamas Auszug.

... 3: Riesenärger

Mama machte Ernst und wohnte nun bei ihrer Schwester. Mittags kam sie zwar nach Hause, um für mich zu kochen (»Du kannst ja nichts dafür, dass dein Vater ein Feigling ist!«) – sobald es auf Papas Feierabendzeit zuging, machte sie sich aber schleunigst wieder auf den Weg zu Renate. Und wenn Essen übrig war, nahm sie es mit.

»Der soll gucken, wie er zurechtkommt«, sagte Mama. »Er kann ja Rosi darum bitten, ihm etwas zu kochen. Ich komme erst heim, wenn Rosi weg ist und er um Verzeihung winselt!«

Papa dachte aber nicht daran, sondern saß schlecht gelaunt zu Hause rum, wenn er von der Arbeit kam.

An jenem ganz gewöhnlichen Schultag hatte ich ohnehin schon keine Lust, zur Schule zu gehen. Karli war seit einer Woche krank, er lag mit einer Grippe im Bett, und ohne Karli war es richtig blöd in der Schule. Seine Mutter hatte die Praxis kurzerhand geschlossen und ein Schild an die Tür gehängt:

Aufgrund eines familiären Notfalls bleibt die Praxis
bis auf Weiteres geschlossen.

Stattdessen gab es bis auf Weiteres Karli-Tage. Karli jammerte mir am Telefon vor, dass er eigentlich schon wieder zur

Schule kommen könnte, er fühlte sich nämlich wieder recht gesund, aber seine Mutter bestand darauf, dass er sich noch ein paar Tage erholen müsste. Sie wuselte den ganzen Tag mit Wärmflaschen und Teetassen um ihn herum.

»Glaub mir«, sagte Karli, »davon *werde* ich krank.«

Die Schultage ohne Karli waren für mich nicht gerade ein Zuckerschlecken. Die Fabs hatten sich nach Karlis Eieraktion erstaunlicherweise mit größeren Racheaktionen zurückgehalten, aber das machte mich eher noch nervöser. Sie starrten mich noch wütender an als sonst, und ich hatte das Gefühl, dass sich etwas zusammenbraute. Ich war mir sicher, dass sie eine ganz besondere Gemeinheit ausheckten und nur auf den richtigen Zeitpunkt warteten.

Jedenfalls kam ich an diesem Morgen mäßig gelaunt, mit einem flauen Gefühl im Bauch und dazu noch einigermaßen unausgeschlafen in die Klasse. Ich saß noch nicht mal richtig auf dem Stuhl, da stand Lucas schon neben mir und blitzte mich wütend an.

»Du gemeingefährlicher Vollidiot!«, zischte er. »Das werd ich dir heimzahlen, ich schwör's dir!«

Er packte mich am Arm und quetschte ihn.

Ich hatte ja mit Rache gerechnet, aber was das jetzt sollte, davon hatte ich absolut keinen Schimmer.

»Spinnst du?«, rief ich und riss mich los. »Was ist denn mit dir los?«

Dass die FabFive nicht meine Freunde waren, war *eine* Sache. An die blöden Hänseleien hatte ich mich mittlerweile gewöhnt. Aber körperliche Übergriffe, das hatte es seit den gemeinsamen Busfahrzeiten nicht mehr gegeben.

»Du weißt genau, was ich meine«, sagte Lucas. »Wenn du uns noch einmal verpetzt, *ein einziges Mal*, dann erlebst du dein blaues Wunder!«

Hä?

»Ach, du weißt gar nicht, wovon ich rede?« Lucas tat erstaunt. Dann beugte er sich runter und zischte in mein Ohr: »Frag doch deinen Vati, der kann sich bestimmt genau erinnern, *wer* ihm den heißen Tipp gegeben hat! Du bist echt das Letzte, Mister Piggy!«

Ich verstand immer noch nur Bahnhof. Es läutete und Frau Mork kam herein. Erste Stunde Deutsch. Auch das noch! *Ein toller Morgen*, dachte ich.

»An deiner Stelle würde ich mir schon mal mein Grab schaufeln!« Lucas verpasste mir noch eine Kopfnuss und verschwand nach hinten zu seinem Platz.

Zum Glück regnete es Bindfäden und wir verbrachten die Pausen unter Aufsicht in der Klasse. So konnte Lucas mich wenigstens nicht noch mal so dumm anmachen. Ich grübelte den ganzen Morgen, was diese Aktion bedeuten sollte. Ich hatte aber keinen blassen Schimmer. Vor allem, was hatte das alles mit Papa zu tun? Der kannte Lucas doch überhaupt nicht. Ich würde ihn fragen müssen, auch wenn ich mir nicht viel davon versprach.

Als Papa abends nach Hause kam und schlecht gelaunt die Kühlschranktür zuwarf, ohne etwas Essbares darin gefunden zu haben, kam ich in die Küche geschlendert und erzählte, was passiert war.

»Hast du eine Ahnung, warum Lucas mich heute Morgen fast skalpiert hat?«, fragte ich.

Papa zuckte mit den Schultern.

»Was weiß ich, was der von dir will«, sagte er und stellte sich einen Kaffee auf.

Wenn er von der Arbeit kommt, ist er meistens ziemlich erledigt und braucht erst mal einen Kaffee.

»Tja«, sagte ich. »Lucas sagt, du wüsstest Bescheid.«

Papa runzelte die Stirn. »Lucas, Lucas …« Man konnte geradezu sehen, wie es hinter seiner Stirn arbeitete.

Auf einmal schien ihm ein Licht aufzugehen.

»Lucas Berger?«, fragte er. »Der Sohn vom Autohaus Berger? *Der* ist in deiner Klasse?«

Volltreffer!

»Ja«, sagte ich. »Woher kennst du den denn? Und was weißt *du*, was *ich* nicht weiß?«

Papa wollte nicht so recht mit der Sprache rausrücken, das merkte ich.

»Eigentlich«, sagte er, »darf ich nicht darüber reden. Berufsgeheimnis.«

Papa ist Kaufhausdetektiv und da hat er eine Schweigepflicht. Wie Polizisten und Ärzte und so.

»Hallo?«, sagte ich, nun ziemlich angesäuert. »Erde an Papa! Du lässt mich lieber von einer Horde wild gewordener Superhelden fertigmachen, als mir zu erzählen, was die überhaupt von mir wollen?«

Wenn Lucas eine Wut auf mich hatte, hatte seine FabFive-Gefolgschaft auch eine Wut auf mich. So viel war klar. Ich hielt Papa meinen Arm hin, auf dem ein blauer Fleck von Lucas' Gequetsche zu sehen war.

»Oh«, sagte Papa und kratzte sich am Kopf. »Ach, was soll's.

56

Wenn Lucas selber davon anfängt. Da muss ich wohl mal eine Ausnahme machen. Es geht ja offensichtlich um Leib und Leben.«

Dann erfuhr ich die ganze Geschichte.

Papa war gestern im größten Kaufhaus der Stadt eingesetzt worden, um die Elektronikabteilung zu überwachen. Er wird immer wieder woandershin geschickt, damit keiner merkt, dass er herumschleicht und Kunden beobachtet. Ein Kaufhausdetektiv, den jeder erkennt, ist so nutzlos wie eine leere Klopapierrolle. Gestern also hatte er zum ersten Mal seit ein paar Wochen wieder in diesem Kaufhaus gearbeitet. Und dort hatte er Lucas, der mit den FabFive unterwegs war, beim Klauen erwischt.

»Was?«, rief ich.

Das wunderte mich. Lucas' Vater gehörte ein Autohaus. Die Bergers hatten Geld. Lucas hatte es doch nicht nötig zu stehlen? Papa erzählte weiter. Er hatte Lucas in sein Büro mitgenommen und Lucas musste seine Tasche ausräumen.

»In seinem Rucksack waren zwei nagelneue CDs«, sagte Papa. »Und ein MP3-Player der neuesten Generation. Es war alles noch verpackt.«

Ich hatte von den FabFive nicht erwartet, dass sie in ihrer Freizeit Spenden für die Dritte Welt sammelten, aber klauen, das konnte ich mir dann doch nicht vorstellen. Die bekamen alle reichlich Taschengeld, die konnten sich doch kaufen, was sie wollten.

Papa erzählte, dass Lucas zuerst alles abgestritten hatte, aber als Papa ihm sagte, dass er ihm auch gern das Videoüberwachungsband vorspielen könne, hat Lucas schließlich alles

zugegeben. Und Papa hat dann getan, was er tun musste: Er hat Lucas' Eltern angerufen.

»Er war gar nicht so cool, wie du sagst«, sagte Papa. »Er hat mich gebeten, nicht bei seinen Eltern anzurufen. Er würde alles zurückgeben und versprechen, nie wieder zu stehlen. Aber das geht natürlich nicht so einfach. Wenn er älter wäre, hätte ich die Polizei benachrichtigt. So musste ich die Eltern anrufen. Ist so.« Papa nahm einen Schluck von seinem Kaffee.

»Er war völlig außer sich, als ich das Telefon in die Hand

genommen habe«, sagte Papa. »Er hat gebrüllt, seine Eltern dürften auf keinen Fall was davon erfahren. Aber ich kann da nicht mit mir reden lassen. So sind die Vorschriften. Davon abgesehen, finde ich es auch richtig. Eltern sollten wissen, was ihre Kinder so treiben.«

Na, dass Lucas nicht wollte, dass seine Eltern von seiner Stehlerei erfuhren, konnte ich mir gut vorstellen. Aber eines verstand ich immer noch nicht.

»Woher wusste Lucas denn, dass du mein Vater bist?«, fragte ich.

Papa dachte nach.

»Wahrscheinlich, weil ich mich am Telefon mit *Ebermann* gemeldet habe«, sagte er. »Und Ebermanns gibt es ja nicht gerade viele. Und wenn man dann noch bedenkt, dass du und ich uns ziemlich ähnlich sehen … zwei und zwei kann er doch zusammenzählen.«

Ich stand gerade auf dem Schlauch, denn wieso Lucas dachte, dass ich ein Verräter bin, war mir immer noch nicht klar. *Papa* war schließlich der Detektiv und hatte Lucas erwischt, nicht ich. Und plötzlich hüpfte ich von der Leitung runter. *Natürlich!* Ich schlug mir an die Stirn.

»Noch nicht genug blaue Flecken?«, fragte Papa und sah mich interessiert an.

»Na klar!«, rief ich. »Ich weiß jetzt, warum Lucas so wütend auf mich ist!«

Da hätte ich auch gleich draufkommen können. Letzte Woche hatten die FabFive in der kleinen Pause herumgetuschelt. Ich hatte meine Kopfhörer auf und hörte Musik, weil Karli krank war und ich meine Ruhe vor den anderen haben wollte. Ich war gerade dabei, zwischen zwei Wiedergabelisten zu wechseln, und hörte, wie Lucas was davon faselte, dass er dringend ein paar neue CDs bräuchte und am Montag im Kaufhaus billig einkaufen gehen wollte. *Billig einkaufen* war bei den Fabs wohl ein Codewort für klauen, das ahnte ich mittlerweile.

»Hey, Alter«, hatte Noah gesagt, »mach mal halblang. Wenn du erwischt wirst, gibt's mächtig Ärger.«

»Quatsch«, hat Lucas gesagt. »Mich erwischt keiner, ich bin ja nicht blöd.«

Und dann haben sie nichts mehr gesagt, weil ein paar Hühner nach hinten getrippelt kamen, um ihre Erdkundebücher aus dem Regal zu holen. Wahrscheinlich hatten sie gedacht, ich höre eh nichts wegen der Kopfhörer. Als Lucas aber von dem Detektiv Ebermann geschnappt wurde und kapiert hatte, dass der mein Vater war, dachte er natürlich, ich hätte ihn an Papa verpfiffen.

»Hey!«, rief Papa und stupste mich an. »Du sagst seit fünf Minuten kein Wort mehr. Was hat es denn jetzt mit dieser Lucas-Geschichte auf sich?«

Ich sah Papa an und dachte an Lucas, der sicher schon Ärger genug am Hals hatte. Ich kann Lucas nicht ausstehen, aber eine Petze bin ich nicht.

»Nichts«, sagte ich also. »Berufsgeheimnis.«

Ich ging in mein Zimmer, legte mich aufs Bett und dachte nach. Wenn Lucas davon überzeugt war, dass ich ihn verpfiffen hatte, würden Karli und ich endgültig keine ruhige Minute mehr in der Klasse haben. Dann waren die Hänseleien, die wir bisher gewohnt waren, geradezu ein Spaziergang gewesen.

... 2: Jetzt reicht's: Wir planen Rache

»Ich hoffe, du weißt, was ich da auf mich genommen habe«, sagte Karli, als wir uns am Mittwochmorgen vor der Schule trafen. Nachdem ich ihm am Telefon erzählt hatte, was geschehen war, hatte er seine Mutter überzeugen können, dass er wieder gesund und durchaus in der Lage sei, zur Schule zu gehen. Er hatte ihr aber versprechen müssen, am Nachmittag mit ihr in den Park zu gehen, »zur Erholung«.

Ich grinste. »Schon klar. Aber das, was Lucas hier gestern abgezogen hat, ist tatsächlich noch schlimmer, glaub mir.«

Und es ging auch genau so weiter. Karli und ich schlüpften gerade vor Herrn Lemmel in den Klassenraum und hatten uns noch nicht mal richtig hingesetzt, als schon ein Zettel auf unseren Tisch geflogen kam, aus der Richtung der FabFive.

»Hey ho«, sagte ich. »Das erste Zettelchen für uns. Vielleicht laden sie uns zu einer Party ein.«

Karli kicherte. Er faltete den Zettel auf.

> Ihr blöden Verrähter
> Past bloß auf.
> Wir krigen euch noch!

»Wow«, sagte Karli.

Ich drehte mich um. Lucas drohte uns mit der Faust.

Huargh.

Es war *eine* Sache, irgendwelche blöden Hänseleien wegen Brillen und Ohren zu ertragen. Es war eine ganz *andere* Sache, als Verräter zu gelten, auf den eine furchtbare Rache wartete. Ich riss ein Blatt von meinem Block ab und schrieb eine Antwort:

Wir haben damit nichts zu tun.
Wir sind keine Verräter!

Ich knüllte das Papier zusammen, wartete auf eine günstige Gelegenheit und warf den Zettel dann nach hinten zu den FabFive. Da hustete Lucas sehr auffällig, Lemmel drehte sich um und sah *natürlich,* wie mein Zettelchen vor Lucas' Tisch auf dem Boden landete.

Es war totenstill.

Lemmel ist der gemeinste Lehrer, den man sich vorstellen kann.

Wenn er hört, dass zwei tuscheln, lässt er sie an die Tafel kommen und fragt fiese Vokabeln ab, und da kriegt jeder automatisch eine Sechs. Einmal war der Schwamm nicht da, und der Lemmel hat Nina, die Tafeldienst hatte, die Tafel mit trockenen Tempos sauber scheuern lassen, bis ihr die Finger wehtaten.

Es war sonnenklar, dass Lucas mich absichtlich auffliegen lassen wollte. Und das funktionierte auch bestens.

»Na, was haben wir denn da«, hat der Lemmel gesagt, mit einer Stimme so kalt wie Eis.

Dann hat er mich angeguckt und geschwiegen.
Und dann hatte Murphy wieder seinen großen Auftritt:

Wenn etwas schiefgehen kann, *wird* es auch schiefgehen.

Murphy war mein ständiger Begleiter. Bei mir ging immer schief, was schiefgehen konnte.
Nach einer Ewigkeit ist Lemmel nach hinten gegangen, hat sich gebückt und den Zettel aufgehoben. Mir ist ganz schlecht geworden. Ich habe geschwitzt, und zu allem Überfluss habe ich auch noch gemerkt, wie ich rot angelaufen bin. Der Lemmel ist nach vorne gegangen. Dort ist er stehen geblieben und hat sich zu uns umgedreht. Den Zettel hatte er immer noch in der Hand.
Dann faltete er den Zettel auf. Er guckte mich an, strich das Papier glatt und räusperte sich.
»Wir haben damit nichts zu tun«, las er vor. »Wir sind keine Verräter!«
In der Klasse war es so still wie unter Wasser.
»Was auch immer das heißen soll, Ebermann«, sagte Lemmel, »es ist eine bodenlose Unverschämtheit, in meinem Unterricht andere ablenken zu wollen. Und das ausgerechnet von dir!«
Ich wollte antworten, aber ich wusste nicht, was. Ich schluckte.
»Wenn du offensichtlich so schlau bist, dass du dem Unterricht nicht mehr folgen musst, hast du ja sicher kein Problem damit, wenn ich dich ein paar Vokabeln abfrage, oder?«
Huargh. Ich hatte in den letzten Tagen andere Sachen im

Kopf gehabt als Vokabeln. Pech gehabt. Lemmel war nicht umsonst der gemeinste Lehrer aller Zeiten. Er baute sich vor unserem Pult auf und fragte nicht nur die Vokabeln der Lektion ab, die wir gerade durchnahmen, sondern so ziemlich alle, die bisher in diesem Schuljahr vorgekommen waren. Selbst die, die ich wusste, fielen mir nicht ein, so durcheinander war ich.

»Tja, Ebermann«, sagte Lemmel. »Sieht so aus, als ob dein Stern am Sinken wäre. Da hat dein neuer Freund wohl keinen guten Einfluss auf dich!«

Karlis Ohren begannen zu leuchten.

Ich stupste ihn an, damit er nichts sagte. Lemmel würde ihn sonst auffressen.

»Das ist deine erste Sechs, Ebermann. Ich hoffe, du enttäuschst mich nicht noch einmal.«

Er trug die Sechs in sein Notenheft ein, ging wieder nach vorne und machte mit seinem Unterricht weiter.

»Idiot«, flüsterte Karli.

Die schlechte Note war mir egal. Aber ich fand es total mies, wie unfair sich Lucas verhalten hatte. So eine miese Petze! Ich drehte mich um und schoss Lucas einen wütenden Blick zu. Der hielt nur sechs Finger hoch und grinste. Der Rest der FabFive feixte mich blöd an.

»Diese Blödmänner«, flüsterte ich Karli zu. »Die werden sich noch umsehen.«

Den Rest der Stunde sagte ich nichts mehr. Ich hatte keine Lust, von Lemmel aufgespießt zu werden.

In der Pause verzogen Karli und ich uns in ein ruhiges Eckchen am Rand des Schulhofs.

»So langsam reicht es mir mit diesen aufgeblasenen Blödmännern«, sagte Karli und biss in einen Apfel.

»Und mir erst«, sagte ich. »Einen beim Lemmel auffliegen zu
lassen, ist ja wohl oberfies.«

Wir waren uns einig, dass die FabFive die gemeinsten Hohl-
köpfe waren, die auf der ganzen Schule herumliefen, und dass
sie einen gewaltigen Denkzettel verdient hatten.

»Wir schreiben einen Zettel: *Ich liebe Jenny*, und pappen ihn
Lucas auf die Jacke«, sagte ich.

Jenny ist Lemmels Tochter, eine doofe Zicke, die in die Paral-
lelklasse geht.

»Wir stecken ihm Hundekacke in den Ranzen«, sagte Karli.

»Wir stellen ihm ein Bein, wenn er den Gang runterläuft«,
sagte ich.

Wir dachten uns die ganze Pause über Sachen aus, die wir tun
könnten, um den FabFive eins reinzuwürgen, und wir hatten
einen Riesenspaß dabei. Da konnten wir noch nicht ahnen,
dass die FabFive selbst uns am nächsten Tag die Gelegenheit
zur besten Rache der Welt geben würden.

... 1: Achtung ...

Es hatte gerade zur großen Pause geläutet. Draußen war herrlichstes Sommerwetter. Karli kramte immer noch in seinem Ranzen herum, während der Rest der Klasse aus der Tür drängte.

»Los, Karli«, sagte Frau Jensen, die Erdkundelehrerin. »Ich schreibe gleich eine Klassenarbeit in der Elften. Ich habe keine Zeit zu warten, bis du dich durch den Boden nach Australien gegraben hast!«

»Moment«, murmelte Karli, »... ich hab's schon!«

Er zog ein ziemlich ramponiertes Brot aus der Tasche, dessen Ränder zermatscht waren und aus dem ein welkes Salatblatt hing.

Frau Jensen verdrehte die Augen und scheuchte uns aus dem Raum. Sie sperrte ab und verschwand in Richtung Lehrerzimmer.

Karli besah sich die kümmerlichen Reste seines Brotes und seufzte. »Damit können wir die Vögel füttern«, sagte er.

Wir gingen die Treppen runter. Es war kühl und still in der Schule. Von draußen hörte man lautes Gejohle. Bei dem schönen Wetter war auf dem Pausenhof der Teufel los.

Wir wollten gerade um die Ecke biegen, zum Hauptausgang, als wir Stimmen hörten.

Bekannte Stimmen.

Die Stimmen der FabFive.

Ich blieb stehen und hielt Karli am Ärmel fest. Er nickte und stoppte.

Die Stimmen kamen aus dem Keller.

Unsere Schule hat einen Keller, in dem alles Mögliche aufbewahrt wird. Große Landkarten, Sportgeräte und was weiß ich alles. Weiter hinten, in dem Teil, der unter der Treppe liegt, ist der Heizungskeller. Dort ist eigentlich nie jemand. Manchmal schickt ein Lehrer jemanden von uns Schülern nach unten, um einen Globus zu holen oder eine staubige Landkarte. Es reißt sich keiner darum, weil der hintere Kellerteil so gruselig ist. Ich musste einmal eine Landkarte von England holen gehen und habe den Lichtschalter nicht gleich gefunden. Im Halbdunkel bin ich an etwas gestoßen und habe mich fast zu Tode erschreckt: Ein Skelett grinste mich an. Nepomuk, das Plastikskelett für den Biologieunterricht. Ich habe mich an die Wand lehnen müssen, so schlecht war mir.

Wieso um alles in der Welt hingen die FabFive freiwillig da unten rum? Karli und ich schlichen leise ein paar Stufen hinunter. Wir konnten gerade noch sehen, wie die Fabs im Heizungsraum verschwanden.

Wenn wir herausfinden wollten, was die Fabs hier unten trieben, mussten wir näher ran. Karli und ich schlichen, so leise wir konnten, bis zur Tür des Kartenraums, der neben dem Heizungskeller lag. Falls jemand kam, konnten wir uns noch rechtzeitig darin verstecken.

»… auf jeden Fall«, hörte ich Lucas' Stimme.

»Was die aus der Zehnten können, können wir schon lange«, dröhnte Finn.

»Und wie die Mädchen gucken werden«, tönte Yannic.

»Wir können sie alle haben«, sagte Noah.

»Wir werden die Coolsten sein«, sagte Lucas.

»Die Allercoolsten«, sagte Finn. »Keiner aus der Sechsten hat sich schon mal getraut, nachts ins Freibad zu gehen!«

Was? Die wollten nachts ins Freibad einbrechen?

Ich hielt die Luft an.

»Am besten morgen«, sagte Yannic. »Dann kommen bestimmt auch die aus der Zehnten. Die werden Augen machen! Und wir sollten Beweisfotos machen!«

Karli pfiff leise durch die Zähne.

Mir schoss ein Gedanke durch den Kopf.

Das war *die* Gelegenheit, es den FabFive heimzuzahlen! Ich wusste noch nicht genau, wie, aber ich war mir sicher, dass Karli und mir etwas einfallen würde.

Plötzlich hörten wir, wie die Tür vom Heizungskeller aufgestoßen wurde.

»Hey, weiß jemand, wo der Lichtschalter ist?«, rief Yannic. Seine Stimme klang sehr nah.

Ich hielt die Luft an. Yannic stand keine fünf Meter von mir entfernt!

Im Heizungskeller klirrte etwas.

»Scheiße«, hörten wir Noah drinnen fluchen.

»Was ist denn los?«, fragte Yannic und verschwand wieder im Heizungskeller.

»Los, da rein«, zischte ich und schob Karli in Richtung Kartenraum.

Keine Sekunde zu früh, denn die FabFive kamen aus dem Heizungskeller in den Gang. Offensichtlich hatten sie den Lichtschalter gefunden, denn durch den Türspalt sahen wir einen hellen Schein.

»Sollen wir noch ein bisschen Chaos im Kartenraum machen?«, fragte Tim.

Die anderen kicherten.

Ich drückte mich an die Wand. Obwohl es dunkel war, konnte ich spüren, wie entsetzt Karli guckte. Wenn die Fabs hier hereinkamen und das Licht andrehten, würden sie uns sofort

entdecken. Wir konnten genauso gut schon mal anfangen, unsere eigenen Gräber zu schaufeln.

Da klingelte es.

»Wir müssen auf den Pausenhof, bevor noch jemand hier runterkommt«, rief Yannic.

Die Fabs rannten die Treppe hoch.

Uff. Ich wischte mir den Schweiß von der Stirn.

»Raus hier«, zischte ich Karli zu.

Wir schoben vorsichtig die Tür auf und linsten zur Treppe.

Die Fabs waren weg.

Oben donnerten die Schüler vom Pausenhof herein.

Niemand bemerkte, dass wir uns zwischen die Leute mischten, die von draußen hereinströmten.

»Genial«, flüsterte Karli mir zu, als wir die Treppe hinaufeilten. »Das ist *die* Gelegenheit, diesen Volldeppen eins auszuwischen!« Seine Augen leuchteten.

»Perfekt«, sagte ich. »Die werden sich wundern!«

Ich hatte auch schon eine Idee, wie wir es anstellen konnten.

Wir würden aber nicht so blöd sein wie die FabFive und uns bei unseren Plänen belauschen lassen. Deswegen verabredeten Karli und ich uns für den Nachmittag bei mir zu Hause, um den Racheplan auszuhecken.

... 1/2: ... fertig ...

Ich konnte den Nachmittag kaum erwarten. Bei dem Gedanken daran, den FabFive endlich eins auswischen zu können, war ich in Hochstimmung. Beim Mittagessen war dann aber erst mal schlechte Stimmung angesagt, denn Mama wollte von mir wissen, ob Papa schon was wegen des Rosi-Tattoos unternommen hatte, und das hatte er nicht.

»Feigling«, sagte Mama und knallte die Salatschüssel auf den Tisch.

»Das tut bestimmt weh«, sagte ich.

»Ach was«, sagte Mama. »Das Tattoostechen hat auch wehgetan und er hat es überlebt!«

Ich sagte dann nichts mehr, denn eigentlich fand ich, Papa sollte sich tatsächlich nicht so anstellen. Aber das wollte ich nicht erwähnen, Mama wäre sonst nur noch wütender auf Papa geworden, und das hätte ja auch nichts geändert.

»Wie war es denn so in der Schule?«, wollte Mama dann wissen.

Huargh.

Das ist eine blöde Frage. Warum stellen Eltern die eigentlich jeden Tag? Wenn nichts passiert ist, *gibt* es nichts zu erzählen. Und *wenn* was passiert ist, *will* man es meistens nicht erzählen. Ich wollte gerade zum Beispiel *nicht* erzählen, dass Yan-

71

nic heute die ganze Zeit gegrunzt hat, wenn ich an ihm vorbeigelaufen bin, und Karli wollte seiner Mutter sicher nicht erzählen, dass Noah nicht an ihm vorbeigehen konnte, ohne ihm an die Ohren zu schnipsen und »Dumbo!« zu rufen.

Und schon zweimal wollte ich nicht erzählen, dass wir die Fabs im Heizungskeller belauscht hatten und dabei waren, den gemeinsten Racheplan der Welt zu schmieden.

»Nichts«, sagte ich also.

»Was heißt denn *nichts*?«, sagte Mama schlecht gelaunt.

»Das sagst du immer. Es kann doch nicht jeden Tag *nichts* passieren?«

»Doch, kann es«, sagte ich. »Heute ist nichts passiert. Absolut gar *nichts*.«

Mama seufzte.

»Genau wie dein Vater«, sagte sie. »Da passiert auch nichts.«

Jedenfalls war damit für Mama das Thema erledigt. Ich schaute auf die Uhr. Es war schon nach zwei. Karli wollte um halb drei da sein.

»Muss ich abräumen helfen?«, fragte ich. »Wir haben viele Hausaufgaben auf.«

»Hausaufgaben, aha«, sagte Mama. »Nein, nein, geh nur.«

Jetzt galt es.

»Kann Karli morgen bei mir übernachten?«, fragte ich.

Der Plan würde leichter funktionieren, wenn wir uns nicht erst vor dem Freibad treffen mussten.

»Morgen?«, fragte Mama. »Na ja, da ist Wochenende … von mir aus. Musst aber noch deinen Vater fragen. Ich bin ja gleich weg.«

Ja! JAAAAAAAAAAAA! Das lief gut.

Ich ging nach oben und legte mir in Gedanken noch mal zurecht, wie wir die Fabs ordentlich in die Falle laufen lassen würden.

Es dauerte nicht lange, bis ich die Klingel hörte und Mama, wie sie Karli begrüßte und hochschickte. Nachdem er hereingekommen war, machte ich die Tür fest hinter ihm zu. Wir konnten keine Lauscher gebrauchen.

»Los geht's«, sagte Karli und schnappte sich einen Block von meinem Schreibtisch.

»Also«, sagte ich und drehte mich auf meinem Schreibtischstuhl, wie Detektive das tun, wenn sie nachdenken. »Was wissen wir?«

»Die FabFive wollen um Mitternacht ins Waldschwimmbad einbrechen«, sagte Karli.

Er schrieb *2400 FF WS* auf ein Blatt.

»Falls jemand den Plan sieht, der ihn nicht sehen sollte«, sagte er. »Der kommt nie drauf, dass das *Mitternacht, FabFive* und *Waldschwimmbad* heißen soll.«

Nun berieten wir, wie alles laufen sollte:

Wir wollten vor den FabFive im Freibad sein und uns verstecken. Wenn sie dann im Wasser herumplanschten, nackt, wie es die Sitte der coolen Freibadeinbrecher verlangte, wollten wir leise heranschleichen und ihre Kleider klauen.

»Wenn ich mir die saublöden Gesichter vorstelle!«, quietschte Karli. »Die krabbeln aus dem Becken, frieren sich einen ab und laufen zu ihren Klamotten, und die sind nicht mehr da!«

Wir lachten so sehr, dass wir uns den Bauch halten mussten.

»Und stell dir vor, wenn die begreifen, dass sie nackt nach

Hause laufen müssen!«, rief ich und verschluckte mich vor Lachen.

»Wie die herumfluchen werden! Und dann splitterfasernackt durch die Straßen rennen!«

»Samstagnachts, wo in der Stadt die Hölle los ist!«, jubelte ich.

»Die können sich kein Taxi rufen, weil sie keinen Geldbeutel haben und keine Handys!«, quietschte Karli.

»Und überhaupt«, rief ich, »was sollten sie auch sagen? *Hallo, ein Taxi bitte ans Waldschwimmbad! Wir sind die, die nackt draußen herumhüpfen. Fünf Jungs, die hier eingebrochen sind und jetzt nach Hause wollen. Aber bitte nichts unseren Eltern sagen!*«

Wir heulten fast vor Lachen.

»Ich glaube, ich nehme den Fotoapparat mit«, sagte Karli. »Damit wir ihnen ein Foto von ihrem tollen Abend schenken können.«

Das Beste an unserem Plan war, dass absolut nichts schiefgehen konnte. Die Fabs konnten sich nicht über uns beschweren, ohne zuzugeben, dass sie ins Freibad eingebrochen waren. Und sie konnten keine Hilfe holen. Sie würden nackt durch die Straßen nach Hause laufen müssen.

Und das Allerbeste an unserem Plan war, dass die Fabs erst mal keine Ahnung haben würden, wer ihnen das alles eingebrockt hatte.

»Wir lassen sie zappeln«, sagte Karli.

Und das Allerallerallerbeste würden ihre Gesichter sein, wenn Karli und ich ihnen in der Schule die Klamotten überreichten. Wir konnten uns gar nicht mehr beruhigen und lachten, bis

74

Mama die Treppe heraufkam und fragte, ob alles in Ordnung sei. Wir sagten, alles sei prima, besser denn je, und Mama schüttelte den Kopf und sagte, sie wolle eigentlich wieder zu Renate gehen, aber sie wisse nicht, ob sie uns allein lassen könne, so wie wir drauf seien.

Wir sagten, dass wir jetzt sowieso nach draußen gehen wollten.

Mama sah mich an, als ob ich nicht mehr alle fünf Sinne beisammenhätte.

»Du gehst *freiwillig* vor die Tür?«, fragte sie.

»Ja, bei dem tollen Wetter«, sagte ich.

Mama zog die Augenbrauen hoch.

Ich konnte ihr ja schlecht sagen, dass wir jetzt zum Freibad gehen mussten, um herauszufinden, wie man am besten dort hineinkam, wenn man nachts reinwollte.

»Jaja, der Sommer«, sang ich.

»Die Sonne scheint«, sang Karli.

Mama musste grinsen.

»Du meine Güte«, sagte sie. »Nichts wie raus mit euch!«

Das ließen wir uns nicht zweimal sagen.

... 0: ... los!

Am Samstagabend war es dann so weit.

Karli und ich hatten herausgefunden, an welcher Stelle der Zaun, der das Freibad eingrenzte, am dichtesten mit Kletterpflanzen bewachsen war, sodass man leicht darüberklettern konnte.

Wir hatten einen genauen Plan aufgestellt, wie alles laufen sollte.

Karli wollte gegen sechs Uhr abends zu mir kommen und mit Papa, Opa und mir zu Abend essen. Danach würden wir in mein Zimmer gehen und Musik hören. Wenn Papa kommen würde, um uns ins Bett zu schicken, wollten wir ein wenig herummurren und noch nicht gleich das Licht ausmachen.

»Keinen Verdacht erregen«, sagte Karli.

»Bevor er Lunte riecht und misstrauisch wird«, sagte ich.

Wir beschlossen allerdings, gar nicht erst einzuschlafen. Um Viertel vor elf mussten wir nämlich schon los. Wir wollten ein paar zusammengerollte T-Shirts und Hosen unter die Bettdecken legen, damit es aussah, als würden wir darunterliegen, falls Papa doch noch einmal hereinschauen würde. Man weiß ja nie, auf welche Ideen Eltern so kommen.

Papa hatte aber sowieso anderes im Kopf. Opa hatte ihm nämlich für Montag einen Termin bei einem Hautarzt besorgt, wegen des Rosi-Tattoos. Seitdem schlurfte Papa die ganze Zeit schon mit bedrücktem Gesicht umher. Er ist nämlich der größte Angsthase der Welt, wenn es um Ärzte geht.

»Der stellt sich an wie ein kleines Kind«, sagte ich zu Karli, als wir uns gemütlich hingelegt hatten, ich in mein Bett und Karli auf die etwas mitgenommene Gästeliege, die in unserer Garage jahrelang nutzlos herumgestanden hatte.

»Hätte ich gar nicht gedacht«, sagte Karli. »So groß und stark, wie er ist.«

»Du hast keine Ahnung«, sagte ich und erzählte ihm von Papas letztem Arztbesuch vor ein paar Monaten. Er hatte sich beim Nagel-in-die-Wand-Schlagen auf den Daumen gehauen und Mama musste ihn zum Arzt fahren. Er hat nämlich rumgejammert, dass der Nagel schwarz wird und abfällt, wenn man nicht sofort ein kleines Loch hineinbohrt, durch das dann das Blut abfließen kann. Das wollte er aber nicht selbst tun, weil er Angst davor hatte. Als dann der Arzt ein Löchlein hineinbohren wollte, hat Papa ein Wehklagen angestimmt, dass er vorher eine Spritze will, und als er dann die Spritze bekommen sollte, wollte er vorher ein Eisspray. Da hat die Arzthelferin Papa über ihre Brille hinweg streng angeguckt und gesagt, das gibt es nur für Kinder und Papa ist keines mehr, auch wenn er sich große Mühe gibt, sich wie eines zu benehmen.

»Ich bin mal gespannt, wie er sich am Montag anstellt«, sagte ich. »Opa und ich haben um fünf Euro gewettet.«

»Wer sagt was?«, fragte Karli.

»Na, *ich* wette, dass Papa sich nie im Leben am Montag schon am Tattoo herumlasern lässt! Opa sagt, er glaubt zwar auch nicht, dass Papa das vorhat, aber er will ihn unbedingt dazu kriegen, weil Papa ungenießbar ist, seit Mama weg ist.«

Ich erzählte Karli, wie Opa seit Tagen hinter Papa herlief und auf ihn einredete. Gestern hatte ich ihn sogar dabei erwischt, wie er ein Foto von Mama auf den Badezimmerspiegel klebte, vor dem sich Papa immer rasiert.

»Der soll ruhig Sehnsucht nach seiner Susanne kriegen«, hat Opa gesagt und zufrieden sein Werk betrachtet. »Ich werde es schon noch schaffen, aus meinem Sohn einen mutigen Kerl zu machen. Ich versuche es seit sechsunddreißig Jahren, irgendwann wird es doch mal funktionieren!«

»Na, da bin ich ja gespannt«, sagte Karli.

Dann unterhielten wir uns noch über die FabFive und darüber, wie blöd wir sie fanden, bis Karlis Armbanduhr piepste. Wir hatten die Weckfunktion eingestellt, um nur ja nicht den richtigen Zeitpunkt für unsere Aktion zu verpassen.

Wir formten also unsere Bettdecken zurecht und steckten zwei Plastiktüten ein, in die wir später die Klamotten der Fabs stopfen wollten. Dann nahm ich noch zwei Taschenlampen aus der Schublade und gab eine davon Karli.

Ich öffnete die Tür zum Flur.

Alles war dunkel. Aus Papas Schlafzimmer hörte man leises Schnarchen.

Ich nickte Karli zu. »Alles klar«, flüsterte ich. »Er schläft.«

Wir schlichen uns, so leise wir konnten, die Treppe hinunter und am Wohnzimmer vorbei, denn weil Oma zur Kur war, schlief Opa bei uns.

Zum Glück wachte er nicht auf, als die Dielen laut knarzten. Die Straßen waren dunkel und still. Wir wohnen in einem ruhigen Wohngebiet, da sind um diese Uhrzeit selbst an einem Samstagabend nur ganz wenige Leute unterwegs.

Wir hielten uns aber sicherheitshalber doch außerhalb des Lichtkegels der Straßenlaternen, falls irgendjemand gerade seinen Hund Gassi führte und sich wunderte, was wir um diese Zeit draußen zu suchen hatten. Wir wohnen schon immer hier und ich falle ja selbst im Dunkeln auf. Mich würde jeder sofort erkennen.

Als wir die Gegend um das Freibad erreicht hatten, fühlten wir uns wieder sicherer, weil hier kaum noch Wohnhäuser standen.

»Wenn ich mir vorstelle, wie die FabFive nachher nackt und panisch hier rauslaufen«, sagte Karli, »könnt ich mich totlachen.«

»Ha, ich würde zu gern sehen, wie sie über den Marktplatz rennen«, rief ich, und wir mussten stehen bleiben, so sehr lachten wir.

Yannic, Lucas und Finn wohnen nämlich am anderen Ende der Stadt und Tim und Noah mittendrin. Die *mussten* durch die Stadt laufen, ob sie wollten oder nicht. Und samstags nachts war dort immer eine Menge los, vor allem an einem Sommerabend wie heute. Fünf splitterfasernackte Jungs, die nach Mitternacht durch die Stadt rasen! Wir lachten uns schlapp.

Als wir uns wieder beruhigt hatten, machten wir, dass wir weiterkamen. Es war schon fast elf.

Wir fanden gleich die richtige Stelle im Zaun und kletterten darüber. Es ging leichter, als ich gedacht hatte.

Dann standen wir auf der Liegewiese. Es war fast ein bisschen unheimlich. Ich war seit Ewigkeiten nicht hier gewesen. Das Schwimmbecken glänzte silbern im Mondlicht. Es gab einen Sprungturm, ein Schwimmbecken, ein Kinderbecken und zwei Rutschen, eine große und eine kleine, die ins Badebecken führten.

»Bis die FabFive antanzen, ist noch fast eine Stunde Zeit«, sagte Karli nach einem Blick auf seine Armbanduhr.

»Wir könnten ja ein bisschen baden«, schlug ich vor.

Ich war ganz erstaunt über mich selbst.

Ich hatte mich seit Jahrhunderten nicht wohlgefühlt bei dem Gedanken, halb nackt im Wasser herumzuhüpfen, beleibt, wie ich bin. Aber jetzt, wo alles dunkel war und keine Horden von dünnen Leuten herumliefen, machte es mir gar nichts aus. Und Karli störte mich nicht. Er war ja mein Freund.

Wir liefen also ans Becken und zogen unsere Sachen aus, bis auf die Unterhosen.

Karli nahm Anlauf und sprang ins Schwimmbecken.

»Hui!«, quietschte er und japste. »Ist das kalt!«

Ich setzte mich an den Rand und hielt die Füße ins Wasser.

»Ich weiß nicht«, sagte ich und blieb erst mal sitzen.

»Komm schon!«, rief Karli und planschte herum.

»Ich glaube, ich *rutsche* rein«, sagte ich.

Bevor ich noch weiter nachdenken konnte, stapfte ich auf die erste Rutsche zu. Es war die kleine Rutsche.

Ich kletterte die Leiter hoch.

Von oben sah die Rutsche doch höher aus, als ich gedacht hatte. Und alberner. Die Rutsche war nämlich gemacht wie ein Elefant. Rechts und links von der Leiter standen riesige

Plastikohren ab, und die Rutschbahn selbst sah aus wie ein Elefantenrüssel, also eine richtige Röhre. Die war allerdings ziemlich kurz und hörte mitten in der Luft auf. Den letzten Meter fiel man durch die Luft bis ins Wasser.

Huargh.

»Na los, komm schon«, rief Karli und winkte mir zu.

Augen zu und durch, dachte ich. Wer cool sein will, darf keine Angst vor hohen Rutschen haben. Und schon zweimal nicht vor einer Elefantenkinderrutsche. Mit *Rüssel.*

Also bitte.

Ich krabbelte hinein in das orangerote Plastikrohr.

Und rutschte los. Mit dem Kopf voraus.

Und ... blieb stecken.

Im Plastikelefantenrüssel.

Ja, und jetzt stecke ich also hier.
Mann, in was für einen Schlamassel bin ich da reingerutscht!
Karli und ich, wir sind halt einfach keine coolen Fabs. War doch klar, dass da was schiefgehen musste.
– Moment mal! Ich höre was ...
Da kommt jemand!

Bruchlandung!

Die Stimmen wurden lauter.
Wer auch immer es war, sie kamen näher.
Es raschelte.
Mir liefen eiskalte Schauer über den Rücken.
Erschien gleich Lucas am Beckenrand? Würde ich jetzt für alle Ewigkeiten zum Gespött der Schule werden?
Ich schloss die Augen.
»Hey«, rief jemand.
Das war doch …
Ich öffnete ein Auge.
»Huhu«, quietschte der Jemand.
Das war doch Karli!
Ich machte das zweite Auge auf.
Schon erschien Karlis Kopf am Beckenrand.
»Mann, hast du mich erschreckt!«, rief ich.
»Ich hab Hilfe mitgebracht«, sagte Karli und grinste breit.
Zwei weitere Köpfe kamen in mein Blickfeld.
Das war der Moment, in dem mein Herz schon mal ohne mich nach unten plumpste. (Jedenfalls kam es mir so vor.)
»Du hast wohl nicht mehr alle Tassen im Schrank«, sagte der eine Kopf, der eindeutig zu Papa gehörte.
»Hallo, Mops!«, sagte der andere.

Mein Gesicht muss verraten haben, was ich dachte, denn Karli klang nicht mehr ganz so fröhlich wie eben.

»Ich dachte, die beiden sind besser als die Feuerwehr, nicht?«, sagte er.

Ich schloss für einen Moment die Augen. *Herzlichen Glückwunsch,* dachte ich. Dann schaute ich wieder nach unten.

Karli stand da wie ein Jäger, der stolz seine Trophäen angeschleppt hat. Nur dass seine zwei Trophäen wenig beeindruckend aussahen.

Opa lehnte auf seinem Stock und seine dünnen weißen Haare flatterten im Nachtwind. Trotz der vielen Furchen in seinem Gesicht und der braunen Flecken auf den Händen sah er sehr jung aus. Seine Augen funkelten unternehmungslustig im Dunkel wie zwei glänzende Sterne.

»Mops!«, brüllte Opa. »Wie um alles in der Welt bist du in das winzige Ding da überhaupt *reingekommen?* Das möchte ich sehen, wie Eric dich da rausbekommt!«

Papa war schon dabei, die Rutschbahnleiter hochzuklettern.

»Du hast sie wohl nicht mehr alle«, hörte ich ihn schimpfen.

Ich sagte lieber nichts.

»So, mach dich locker«, rief Papa, und da spürte ich schon, wie er mit seinen Händen meine Füße fest umgriff.

Dann ruckelte er kräftig und alles tat höllisch weh.

»Au!«, brüllte ich.

»Mist, verdammter!«, hörte ich Papa sagen.

Dann schob er, so fest er konnte.

»Halt!«, brüllte ich. »Nicht ins Wasser!«

»Ich … versuche nur …«, ächzte Papa, »dich … loszueisen!«

Jetzt zog er wieder an meinen Füßen.

Plopp!

Ich fluppte nach hinten durch die Plastikröhre.

Papa kletterte ein Stück nach unten und ich konnte ganz hinauskriechen. Mühsam rappelte ich mich auf der Plattform hoch und hielt mich am Geländer fest.

Karli und Opa klatschten Beifall.

Ich hob die Hand und winkte wie ein Filmstar. Fühlen tat ich mich aber nicht wie einer. Mir tat alles weh, und außerdem war mir ein bisschen schwindlig, nachdem ich so lange mit dem Kopf nach unten festgehangen hatte.

Papa war mittlerweile wieder unten angekommen.

»Ich weiß zwar nicht, wofür du dich da oben feiern lässt«, sagte er, »aber ich an deiner Stelle würde machen, dass ich da runterkomme, und zwar pronto!«

Ich machte also, dass ich runterkam.

Karli hielt mir meine Kleider und Schuhe hin.

»Was zum Teufel ist denn bloß in euch gefahren?«, rief Papa, während ich mich in die Kleider zwängte. »Nachts ins Freibad einzubrechen? Der Sohn eines Detektivs und der Sohn einer Psychologin? Hat unsere Erziehung völlig versagt? Ihr habt sie wohl nicht mehr alle!«

»Schschschscht!«, zischte ich.

Papa sah mich an, als ob er ein Mondkalb vor sich hätte.

»Hier ist doch niemand!«, sagte er. »Aus gutem Grund!«

»*Falls* jemand kommt«, sagte ich und zog mir die Schuhe an.

Papa schüttelte irritiert den Kopf.

»Na egal, wir gehen jetzt zum Auto und ich verfrachte euch nach Hause. Da werdet ihr mir gefälligst erzählen, was das hier bitte sein sollte. Los jetzt!«

Ich schaute Karli an. Er sah genauso verzweifelt aus, wie ich mich fühlte. Gut, ich war gerettet. Aber das, was wir *eigentlich* vorhatten, das, was wir unbedingt machen mussten, der Eins-a-FabFive-Racheplan, der schien gerade ins Wasser zu fallen.

»Papa«, sagte ich. »Kannst du mit Opa schon mal vorgehen und im Auto auf uns warten?«

Karlis Ohren leuchteten so, dass man es sogar im Mondlicht sehen konnte.

Papa starrte mich an.

»*Was?*«, fragte er. »*Was?*«

Dann war er sprachlos.

Und mitten in diese sprachlose Stille hinein hörten wir Stimmen.

Die FabFive.

Sie kamen.

Rette sich, wer kann!

»Los!«, zischte Karli. »Wo steht das Auto? Wir müssen weg, schnell!«

Papa war jetzt vollkommen durcheinander.

»Himmel noch mal«, fluchte er. »Wenn mich hier jemand sieht, bin ich meinen Job als ehrbarer Detektiv los!«

Er rannte los, Karli hinterher.

Ich schnappte Opa am Arm und ging mit ihm so schnell wie möglich zum Rand der Wiese, wo die Bäume standen. Wir waren nicht so schnell wie Karli und Papa, also war es wichtig, dass wir uns im Dunkeln hielten, damit man uns vom Becken aus nicht sah.

Die Stimmen kamen näher.

Karli und Papa waren schon außer Sichtweite, als ich im Halbdunkel fünf Gestalten entdeckte, die sich von der anderen Seite her dem Becken näherten.

»Jungchen«, sagte Opa, »du hast es faustdick hinter den Schwabbelöhrchen!«

»Pscht«, zischte ich.

Die FabFive zogen ihre Klamotten aus.

»Ich bin der König!«, schrie Lucas und rannte mit weit ausgebreiteten Armen auf das Schwimmbecken zu. Dann sprang er mit einem lauten *Platsch!* mitten hinein.

Die anderen johlten und sprangen hinterher.

»Was ist denn hier los?«, fragte Opa interessiert.

»Nichts«, sagte ich, »gar nichts!«, und schob ihn weiter, bis wir endlich zu der Eingangspforte kamen, hinter der ich Papas Auto erkennen konnte.

»Wie seid ihr denn hier reingekommen?«, fragte ich.

Man konnte wohl kaum annehmen, dass Opa über den Zaun geklettert war.

»Du musst nicht alles wissen«, sagte Papa. »Du hast schon genug Mist im Kopf. Ich werde dich nicht noch auf neue Ideen bringen!«

Bevor ich richtig sah, wie er es machte, hatte Papa die Eingangstür geöffnet und wollte Karli hinausscheuchen.

Der blieb aber wie angewachsen stehen.

»Na, was ist, willst du hier Wurzeln schlagen?«, fragte Papa ungeduldig.

»Ich muss noch mal zurück«, piepste Karli. Seine Stimme war so hoch, dass er wie Brian Johnson klang. Er musste mächtig aufgeregt sein.

»Ich glaub, ich bin im Wald«, sagte Papa. »Da klingelst du mich mitten in der Nacht aus dem Bett, ich bekomme einen Heidenschreck, fahre durch die Gegend und muss meinen Herrn Sohn aus der Rutsche eines Freibads ziehen, in das ihr eingebrochen seid, und jetzt soll ich abwechselnd warten, rennen und wieder warten? Ist euch überhaupt klar, was passiert, wenn wir alle hier erwischt werden?«

Papa schlug sich an die Stirn.

»Für euch verhalte ich mich wie ein Verbrecher und ihr wollt jetzt *schwimmen gehen*? Es ist nicht zu fassen! Raus mit euch, aber schnell!«

»Nicht schwimmen …«, begann ich, aber Papa hörte nicht mehr zu und bugsierte Opa durch die Tür.

Karli und ich sahen uns an.

Jetzt oder nie.

Dann rannten wir los.

»He!«, rief Papa.

»Warte!«, rief ich über die Schulter. »Wir sind sofort wieder da!«

Wir rasten, so schnell wir konnten (selbst ich hatte ein ordentliches Tempo drauf), zurück in Richtung Schwimmbecken. Als wir das Becken sehen konnten, wurden wir langsamer und schlichen zu der Stelle, wo die Kleider der Fabs lagen.

Jetzt kam alles darauf an, dass sie uns nicht entdeckten. Wir hatten Glück. Die Fabs turnten auf der großen Rutsche herum. Von dort aus würden sie uns kaum entdecken können, wenn wir nicht wie Trampeltiere lärmten.

Karli zog die zwei Plastiktüten aus der Tasche und wir stopften in Windeseile die ganzen Klamotten und Handys und Schuhe hinein.

»Rückzug«, flüsterte ich.

Wir schlichen ein Stück rückwärts, um die Fabs im Auge zu behalten. Die rutschten gerade hintereinander ins Wasser und johlten wie die Verrückten.

Als wir an den Tannen vorbei waren und absolute Deckung hatten, rannten wir los.

Wir rannten und rannten und rannten und blieben erst stehen, als wir am Eingang ankamen.

Papa wartete schon ungeduldig.

Ich japste ganz schön. Mir lief der Schweiß runter, und ich musste mich nach vorne beugen, um besser atmen zu können.

Karli hingegen konnte richtig jubeln.

»Geschafft!«, rief er und schwenkte seine Plastiktüte in der Luft herum.

»Seid ihr von allen guten Geistern verlassen?«, brüllte Papa. »Raus hier, aber sofort!«

Wir hatten jetzt, was wir wollten, und ließen uns sanft wie die Lämmer zum Auto bugsieren. Opa saß schon auf dem Beifahrersitz und guckte neugierig auf die Tüten in unseren Händen. Papa klappte seinen Sitz vor, um uns einsteigen zu lassen.

»Was ist denn da drin?«, fragte Opa und schielte auf Karlis Tüte.

»Öhm«, sagte Karli. »Nur … unsere Jacken, die hätten wir beinahe vergessen.«

Zum Glück konnte ich meine Tüte rechtzeitig im Fußraum verstauen, sodass Opa nicht Lucas' Turnschuh sehen konnte, der oben herausragte. Ich hätte schlecht erklären können, warum ich Schuhe an den Füßen *und* in der Tüte trug.

Papa stieg ein und knallte die Tür zu. Beim Starten knurrte er etwas vor sich hin, das ich nicht verstand. Etwas Freundliches war es aber sicher nicht gewesen.

Während Papa das Auto durch die dunklen, leeren Straßen lenkte, grinsten Karli und ich uns an. Karli hielt die Hand hoch und ich schlug ein.

Ich stellte mir die ultrablöden Gesichter der Fabs vor, wenn sie ihre Kleider anziehen wollten und da nichts mehr war, und ihre Panik, wenn sie begriffen, dass sie splitterfasernackt nach Hause laufen mussten. Am liebsten hätte ich vor Freude getanzt, aber das war auf dem Rücksitz von Papas Auto ja schlecht möglich. Karli ging es wohl ähnlich, sein Gesicht leuchtete und die Augen blitzten.

Da störte es auch nicht weiter, dass Papa offensichtlich äußerst angefressen war. Er schaute uns im Rückspiegel an.

»Du schläfst bei uns, wie es ausgemacht war«, sagte er zu Karli. »Wenn ich dich mitten in der Nacht nach Hause bringe, kriegt deine Mutter womöglich noch einen Herzinfarkt vor Schreck. Aber glaubt bloß nicht, dass das alles war! Morgen werden wir uns ausführlich über euren idiotischen Ausflug unterhalten!«

Karli biss sich auf die Backe, damit Papa nicht sehen konnte, dass er immer noch grinste. Ich musste auch schlucken, um nicht allzu fröhlich auszusehen.

Es war mir völlig wurscht, wie viel Ärger es morgen geben würde. Wir hatten gesiegt, und wir hatten unsere Rache, denn wir würden den FabFive auch noch klarmachen, *wer* ihnen die größte Blamage ihres Lebens eingebracht hatte!

Karli und ich unterhielten uns noch lange über unser grandioses Abenteuer, nachdem wir zum zweiten Mal in dieser Nacht in die Betten gefallen waren.

Bevor Papa in seinem Zimmer verschwand, schaute er noch einmal zu Karli und mir rein.

»Versucht bloß nicht wieder, irgendeinen Unfug anzustellen«, sagte er. »Ich bekomme es mit, wenn ihr auch nur einen Fuß aus dem Zimmer streckt!«

Die Tür knallte zu.

»Schau mal, was wir hier haben!«, rief Karli und schwenkte eine der beiden Plastiktüten.

»Lass mal gucken«, sagte ich.

Wir kippten die Tüten auf dem Boden aus und schauten uns die Sachen der Fabs an.

Wie erwartet, alles teure Kleider. Und die allerneuesten Handys.

Leider waren sie ausgeschaltet. Ich hätte zu gern gewusst, ob Lucas wirklich die Nummer von Anna-Lena hatte, dem schönsten Mädchen unserer Klassenstufe. Damit hatte er nämlich letztens erst geprahlt. Wenn er aber lässig an Anna-Lena vorbeischlenderte, guckte die nicht mal hoch.

Ich betrachtete Noahs Turnschuhe. Innen war ein kleiner Zettel eingenäht.

»Ich gehöre Noah Süttler«, stand darauf. Handgeschrieben.

»Schau mal!«, rief ich und warf Karli den Schuh rüber. Er las. Dann prustete er los.

Wir beide hielten uns den Bauch vor Lachen. *Die* hielten *uns* für Freaks?

»Ich gehöre Noah Süttler«, piepste Karli.

»Wenn du mich findest, bring mich bitte zurück zu meinem Herrchen«, japste ich.

Karli schnappte sich einen Stift, so einen, mit dem man CDs beschriften kann, und malte ein Smiley mit rausgestreckter Zunge auf das eingenähte Zettelchen.

»Der bringt uns um«, sagte ich.

»Guck mal!«, sagte Karli. Er hielt Yannics T-Shirt hoch. Es war, wie alles, was die Fabs trugen, das allerneueste Modell einer Sportfirma. Yannic hatte es erst ein- oder zweimal angehabt.

Ich zog Lucas' T-Shirt aus der Tüte und hielt es mir vor den Bauch.

»Na«, sagte ich. »Wie sehe ich aus?«

Karli grinste.

Ich zog das Shirt über den Kopf. Es passte! Obwohl ich mein eigenes T-Shirt noch darunterhatte. So gesehen war es ein Glück, dass die Fabs so weite Sachen trugen. Ich betrachtete Karli, der Yannics T-Shirt übergestreift hatte. Es war so groß und Karli so dünn, dass er beinah darin verschwand.

Wir lachten beide so sehr, dass wir fast keine Luft mehr bekamen.

»Na, Yannic?«, sagte ich. »Wie fühlt man sich denn so als Oberaffe?«

»Bestens, danke, Alter«, quietschte Karli. »Und du, Lucas, hast du schon die Koffer gepackt für den Urlaub auf Bali?«
Wir lachten und lachten.
Und genau da hatte ich eine Idee!
Karli warf sich vor Freude auf den Boden, als ich ihm erzählte, was ich mir ausgedacht hatte.
»Das haut sie aus den Latschen!«, rief er begeistert.
Wir beschlossen, diese geniale Idee am Mittwoch, dem letzten Schultag, in die Tat umzusetzen. Lucas würde danach nämlich größte Lust bekommen, uns umzubringen, aber in den Ferien waren die Fabs im Urlaub, und wir brauchten keine Rache zu befürchten.
In Hochstimmung redeten wir so lange, bis wir endlich einschliefen. Wir waren uns einig: Dies war die beste Nacht unseres Lebens!

Reparaturpause

Die beste Nacht unseres Lebens war aber am nächsten Morgen ganz schnell vorbei. Ich schoss aus dem Bett hoch wie eine Rakete, als die Tür aufflog.

»Raus mit euch!«, rief Papa. »In fünf Minuten seid ihr unten in der Küche!«

Rums!, knallte die Tür wieder zu.

Ich fiel zurück auf die Matratze.

Ich war sterbensmüde und im Zimmer war es schon sonnen-hell. Ich linste rüber zum Gästebett. Karli rührte sich über-haupt nicht.

Die Tür flog wieder auf.

»Raus mit euch, habe ich gesagt«, sagte Papa noch einmal. »Sofort!«

Peng! Die Tür knallte wieder zu.

»Huoahh«, murmelte Karli.

Ich fühlte mich ähnlich. Aber ich wusste, wenn Papa so wü-tend war, galt Alarmstufe Rot.

Wir machten uns also auf den Weg nach unten.

Karli sah noch blasser aus als sonst und ich fühlte mich auch nicht mehr so heldenhaft wie heute Nacht.

Papa trank gerade einen Kaffee.

»Ich habe mit deiner Mutter telefoniert«, sagte er zu Karli. »Damit sie weiß, dass du früher nach Hause kommst.«

»Was hat sie denn gesagt?«, fragte Karli. Er piepste ziemlich.

»Das kannst du mit ihr selbst besprechen«, sagte Papa.

Mein Magen knurrte.

»Wo sind denn die Brötchen?«, fragte ich.

Papa sah mich an.

»*Die Brötchen?*«, fragte er. »Der Herr glaubt, man serviert ihm *Brötchen* nach seinem heldenhaften nächtlichen Aus-flug? Bist du noch bei Trost?«

Ich sagte dann lieber nichts mehr.

Papa nahm die Autoschlüssel vom Schlüsselbord, bedeutete Karli, ihm zu folgen, und ging in den Flur. Karli zuckte mit den Schultern und machte das Telefonierzeichen mit der

rechten Hand, dann trottete er hinter Papa her zur Haustür.
Er drehte sich noch mal um und grinste. Ich grinste zurück
und hielt den Daumen hoch.

Dann klappte die Haustür zu und ich machte mich auf den
Weg in Richtung Kühlschrank, nahm mir eine Wurst aus der
offenen Packung und ging zurück ins Zimmer.

Tja, und was dann folgte, das könnt ihr euch sicher vorstellen.

Als Papa zurückkam, donnerte er in mein Zimmer wie der
Rachegott persönlich.

»Seid ihr von allen guten Geistern verlassen?«, rief er. »Mitten in der Nacht in ein Freibad einzubrechen?«

Tja, was sollte ich darauf sagen. Von dem Ärger mit den Fab-
Five wollte ich nichts erzählen, und dass ich einfach aus Spaß
so etwas tat, würde Papa mir ohnehin nicht glauben.

Also sagte ich nichts und er ging senkrecht in die Luft.

Er brüllte eine ganze Menge Sachen, aber ich hörte nicht richtig zu. Dann rief er Mama an, die eine halbe Stunde später
auftauchte, sich an mein Bett setzte und abwechselnd jammerte und schimpfte.

Ich sagte nichts.

Da ging Mama wieder.

Im Flur stritt sie sich mit Papa herum, das wäre alles nicht
passiert, wenn sie da gewesen wäre, und Papa brüllte, *sie* sei
ja weggegangen, dann brüllte Mama, Rosi sei an allem schuld,
und so ging es dann eine Weile weiter. Irgendwann knallte die
Haustür und ich hörte Mamas Wagen wegfahren. Papa kam
herein und erteilte mir zwei Wochen Hausarrest.

»Zwei Wochen!«, rief ich entsetzt. »Aber wir haben Ferien!«

»Das hättest du dir vorher überlegen sollen«, sagte Papa.

Die Tür rumste wieder zu. Diesmal knackte der Türrahmen bedenklich.

Tja, und dann herrschte Schweigen.

Das ganze Wochenende über hat keiner mit mir geredet, außer am Sonntagmorgen, als Opa beim Frühstück zu mir sagte: »Also, mich würde ja interessieren, wie ihr in dieses Freibad hineingekommen seid.«

Da hat Papa ihn angefahren, er solle den Mund halten und überhaupt lieber sein Brötchen in den Tee tunken, bevor er hineinbeißt, damit sein Gebiss nicht wieder durchbricht.

Opa hat beleidigt geschwiegen und Papa hat glatt durch mich hindurchgeguckt.

Am Abend schnappte ich mir das Telefon und rief Karli an.

Bei ihm zu Hause war die Stimmung offensichtlich auch nicht viel besser. Seine Mutter hatte den ganzen Tag über abwechselnd wütend und enttäuscht auf ihn eingeredet, was er sich denn dabei gedacht hätte und ob er Probleme hätte, er könne doch jederzeit mit ihr reden. Karli wollte aber nicht reden und so herrschte dort genauso dicke Luft wie bei mir.

»Aber die Fabs sitzen jetzt zu Hause und rätseln sich irre, wer ihnen ihr Zeug geklaut hat«, sagte Karli sehr vergnügt.

»Und wie sie erst gucken werden, wenn wir unsere grandiose Idee in die Tat umsetzen«, sagte ich ebenso vergnügt.

Jetzt würde ein neuer Abschnitt unseres Lebens beginnen.

Brennstoff nachfüllen

Als Karli und ich am Montagmorgen in die Klasse kamen, saßen die Fabs schon hinten in ihrer Ecke und sahen äußerst schlecht gelaunt aus. Sie waren sogar *so* schlecht gelaunt und so sehr mit sich selbst beschäftigt, dass sie Karli und mich nicht mal beachteten. Sie tuschelten die ganze Zeit herum und waren ziemlich aufgeregt. Wir versuchten, sie zu belauschen, aber sobald irgendwer in ihre Nähe kam, hörten sie auf mit ihrer Tuschelei und wurden sauer.

»Hey, Fettwanst«, sagte Finn, als ich unauffällig vorbeiging und so tat, als wollte ich mein Erdkundebuch von hinten holen. »Verzieh dich, hier wird die Luft knapp.«

Ich grinste freundlich in die Runde und fragte: »Was ist denn mit den coolsten Jungs der Klasse los? Hat einer von euch Durchfall? Oder habt ihr etwa eure Handys verloren?«

»Halt die Klappe!«, fauchte Tim.

»Ist ja schon gut!«, sagte ich und schaute unschuldig. »Ich geh ja schon.«

Karli und ich konnten kaum noch den Mittwoch erwarten, den letzten Schultag vor den Ferien, an dem wir die Fabs so richtig auffliegen lassen wollten. Die würden es nie mehr wagen, über uns zu lästern!

Es war vielleicht nicht ganz in Ordnung gewesen, ins Freibad einzubrechen, aber wie Opa immer sagt: Der Zweck heiligt die Mittel!

Und dann war es so weit: Der Tag unserer Rache war gekommen. Karli und ich hatten unseren Auftritt in der Schule genau geplant. Wir trafen uns um halb acht an der Bushaltestelle vor der Schule.

»Hi«, sagte Karli. Er quietschte in den höchsten Tönen und seine Ohren glühten vor Aufregung.

»Hi«, sagte ich. »Bist du startklar?«

»Das kannst du glauben«, sagte Karli. »Mann, wie ich mich auf die blöden Gesichter freue!«

Mir ging es genauso.

Wir rannten zum Schulklo. Jetzt kam nämlich der allerallerbeste Teil unserer Racheaktion!

Zum Glück war alles leer. Sicherheitshalber schlossen wir uns in eine Kabine ein und begannen, die mitgebrachten Plastiktüten mit den Sachen der FabFive auszuräumen.

Karli zog sich Yannicks T-Shirt über, ich zog das von Lucas an.

Gerade als wir fertig waren, klingelte es zur ersten Stunde. Wir stopften die restlichen Sachen der Fabs wieder in die Plastiktüten.

»Hmmm«, sagte Karli, als ich eine große Schulbrotplastikdose aus dem Rucksack zog und zwei große, irre stinkende Münsterkäse hervorholte. Ich stopfte sie tief in die beiden Plastiktüten.

»Den Gestank kriegen sie wochenlang nicht aus ihren Klamotten raus«, sagte Karli fröhlich.

Dann packten wir die Tüten in unsere Rucksäcke.
Als wir aus dem Schulklo herauskamen, waren die Flure menschenleer. Der Unterricht hatte begonnen. Wir gingen leise zu unserer Klassenzimmertür und blieben stehen.
Karli hielt die Hand hoch. Ich schlug ein. Ich atmete noch einmal tief durch. Dann war der große Moment gekommen.
Ich klopfte an.
»Ja?«, kam Bodels Stimme von drinnen.
Ich öffnete und trat ein.
»Ach, die Herren Ebermann und Rosenberg sind auch schon da«, sagte Bodel. »Rein mit euch, aber dalli.«
Dann drehte er sich zur Tafel um.
Jetzt war es so weit. Ich ging langsam zum Mittelgang und schaute zu den FabFive. Vielleicht lag es daran, dass ich so lange nur schwarze Sachen getragen hatte. Die Fabs kapierten sofort, was los war.
Alle fünf schauten wie vom Donner gerührt. Sie sahen mich an
und dann Karli,
mich
und Karli.
Lucas gab ein komisches Geräusch von sich.
»Was steht ihr denn im Gang herum?«, fragte Bodel ungeduldig. »So kann doch keiner lesen, was an der Tafel steht! Setzt euch!«
Lucas machte den Mund auf und zu wie ein Fisch, der auf dem Trockenen liegt und nach Luft schnappt.
Ich grinste ihn an.
Äääätsch, dachte ich. Einfach nur: *Äääätsch*.

Und ich dachte an all die gemeinen Kommentare, *Mr Piggy, Fettwanst, Der beste Bauch der Welt.*

Ich dachte an zusammengebundene Schnürsenkel, an Sahne im Mäppchen und daran, wie es war, im Bus an die Haltestangen gefesselt zu werden.

Und dann dachte ich daran, wie es wohl sein musste, nackt durch die Stadt laufen zu müssen, an einem Samstagabend.

Tja, dachte ich. Wir, die Freaks, sind eben doch die Coolsten.

Ich hatte das Gefühl zu schweben.

»Hey!«, rief Yannic. »Der hat mein T-Shirt an!« Er zeigte auf Karli.

Bodel drehte sich um.

»Jetzt reicht es aber!«, rief er. »Ebermann und Rosenberg, setzen! Und Schubert, Klappe halten!«

»Aber …«, sagte Yannic. Dann schwieg er.

Karli und ich setzten uns auf unsere Plätze und holten unsere Schulhefte hervor. Dabei ließ Karli wie zufällig Tims Handy aus der Tasche gleiten.

Jetzt sprang Tim auf.

»Gib das her!«, rief er.

Karli schob das Handy schnell zurück in die Tasche.

»Was denn?«, fragte er ganz unschuldig.

Er schüttelte den Kopf und schaute friedlich nach vorne.

»Tim hat heute Morgen offensichtlich eine Menge Energie«, sagte Bodel. »Komm doch mal her und rechne uns die Aufgabe an der Tafel vor!«

Tim bekam einen roten Kopf.

Natürlich hatte er keine Ahnung, was Bodel von ihm wollte.

Während Tim an der Tafel stand und schweigend auf die Zahlen guckte, die Bodel angeschrieben hatte, tuschelten die Fabs hinten heftig herum.

»Du spinnst wohl!«, brüllte auf einmal Noah.

»Was denn?«, rief Finn.

Da verlor Bodel die Geduld.

»Noah, Lucas, Yannic und Finn, das ist die letzte Warnung!«, sagte er. »Wenn ich noch ein Wort von euch höre, sitzt ihr nach, auch wenn es der letzte Schultag ist!«

»Aber«, rief Yannic, schwieg jedoch, als er Bodels Gesicht sah.

»Du kannst auch gleich hierbleiben«, sagte Bodel zu Tim, »und ein paar Matheaufgaben machen.«

Dann schickte er Tim zurück an seinen Platz. Der ging an uns vorbei und sah aus, als wollte er uns den Hals umdrehen.

Den ganzen Rest der Stunde grinsten Karli und ich vor uns hin.

Das Beste war, dass wir nur drei Schulstunden hatten, und zwar alle bei Bodel, weil er ja unser Klassenlehrer ist. Und der ist so träge, dass er sich nirgends hinbewegt, wenn er nicht muss, selbst in den Pausen. Da konnten die Fabs nicht viel machen.

In der kleinen Pause erschien Lucas hinter mir, die anderen Fabs im Schlepptau.

»Gib das her!«, zischte er und nickte Richtung T-Shirt.

»Keine Sorge«, sagte ich. »Ihr bekommt alle eure Sachen zurück. Heute noch. Außerdem stinkt dein T-Shirt. Ich ziehe sowieso lieber meins an!«

»Ihr seid dran«, sagte Lucas. »Alle beide. Ihr seid so was von dran. Wartet nur ab!«

»Ich würde die Klappe an deiner Stelle mal nicht so weit aufreißen«, piepste Karli. »Als ihr nackt durch die Stadt gerannt seid, habt ihr ausgesehen wie mein kleiner Cousin, und der ist sechs!«

Ich hielt die Luft an. Aber es funktionierte.

Lucas wurde dunkelrot.

»Reg dich ab«, sagte ich. »Nach der großen Pause habt ihr euer Zeug wieder. Und wenn ihr ganz brav seid, erzählen wir auch niemandem, dass Noahs Mama in seine Schuhe die Adresse hineinschreibt.«

Karli und ich lachten.

Jetzt lief Noah rot an.

»Oh«, piepste Karli. »Schämst du dich?«

»Du Arsch!«, brüllte Noah und stürzte sich auf Karli.

Der grinste und hielt die Hände über den Kopf.

»Jetzt ist Schluss!«, hörte ich da Bodels Stimme. Er sprang auf und kam zu uns herüber.

Noah stellte sich wieder hin, als ob er nichts gemacht hätte.

Aber damit kam er bei Bodel nicht durch.

»Ich habe euch gewarnt«, sagte er. »Jetzt reicht es. Ihr bleibt nach der Stunde da.«

»Aber die haben doch angefangen!«, rief Lucas verzweifelt und zeigte auf Karli und mich.

»Ich?«, piepste Karli und sah Lucas mit großen Augen an. »Ich sitze doch nur hier!«

»Genau«, sagte ich. »Wir sitzen nur hier!«

»Mir ist vollkommen wurscht, wer angefangen haben soll«, sagte Bodel. »Ich habe von Karli und Martin jedenfalls nichts gehört. Nur von euch. Und deswegen werdet ihr nachsitzen.

Schließlich habt ihr sechs Wochen Ferien, da kommt es doch auf eine Stunde nicht an, nicht wahr?«

Die Fabs sahen aus, als würden sie Karli und mir am liebsten an die Gurgel springen.

Ich lächelte Lucas an.

Es klingelte zur zweiten Stunde.

Nach der letzten Stunde, als die Schulklingel die großen Ferien eingeläutet hatte und alle durcheinanderwuselten, um so schnell wie möglich aus der Tür zu kommen, zogen Karli und ich Lucas' und Yannics T-Shirts aus. Wir stopften sie in die Plastiktüten mit den anderen Sachen. Die Tüten stanken schon gewaltig. Der Käse leistete ganze Arbeit. Dann schlenderten wir zu den FabFive hinüber, die missmutig auf ihren Plätzen saßen und wütende Blicke in unsere Richtung schossen.

»Hier«, sagte Karli und hielt Yannic eine der Tüten vor die Nase. »Ein kleines Geschenk für die großen coolen Jungs!«

»Und weil wir ja großzügig sind, bekommt ihr sogar zwei Tüten«, sagte ich und stellte die zweite Tüte vor Lucas auf den Tisch.

»Wir wünschen euch schöne Ferien«, piepste Karli.

»Auch wenn sie für euch ein bisschen später anfangen«, sagte ich.

»Ihr …«, begann Finn.

Lucas stieß ihn mit dem Ellenbogen an.

»Sei still«, sagte er und deutete zu Bodel, der das Klassenbuch ausfüllte und hin und wieder zu uns herübersah.

»Tschüs dann!«, riefen Karli und ich und winkten, als wir zur Tür gingen.

Die Fabs saßen auf ihren Plätzen und stierten uns an.

Wir sagten noch extrafreundlich »Auf Wiedersehen« zu Bodel (immerhin hatte er uns ja, wenn auch unabsichtlich, in die Hände gespielt) und marschierten hinaus. Wir rannten die Treppen hinunter, über den Schulhof und auf den Bürgersteig. Die Sonne knallte vom Himmel.

»Ferien!«, brüllte ich und sprang auf und ab.

»Ferien!«, brüllte Karli und hüpfte hoch. »Und die Fabs müssen nachsitzen!«

»Hoch leben die Freaks!«, quietschte Karli.

»Hoch leben die Freaks!«, rief ich.

Den ganzen Tag lang war ich bestens gelaunt, auch wenn ich Hausarrest hatte und daheim rumhängen musste. Es war einfach ein sensationelles Gefühl, es diesen gemeinen Blödmännern endlich mal so richtig heimgezahlt zu haben. Besser hätte es nicht laufen können.

Ich schwebte also irgendwo auf Wolke sieben herum. Bis zu dem Moment, als mein Vater mit dem Telefon in der Hand in meiner Tür erschien.

»Für dich«, sagte er kurz und hielt mir den Hörer hin. Dann verschwand er und zog ziemlich laut die Tür hinter sich zu.

Das musste Karli sein! Ich freute mich darauf, noch mal alles mit ihm durchzukauen.

»Hallo, Fettwanst!«, sagte eine dunkle Stimme.

Mir lief ein Schauer über den Rücken. Ich umklammerte den Hörer.

»Wer ist denn da?«, fragte ich. Obwohl mir eigentlich klar war, wer es sein musste.

Die Stimme lachte fies.

»Der Eber ist noch blöder, als ich dachte«, kam es aus dem Hörer.

Es war eindeutig Lucas. Mir wurde flau im Magen.

»Was willst du?«, fragte ich. Meine Stimme klang ganz fremd.

»Was ich will?«, fragte Lucas und lachte wieder sein gemeines Lachen. »Wir, die FabFive, wollen dich und deinen Dumbo-Freund zerquetschen wie eine Fliege!«

Ich musste mich setzen.

»Na, hast du schon die Hosen voll?«, fragte Lucas. »Das solltest du auch, du mieses kleines Frettchen! Du hast wohl gedacht, ihr zieht hier eine Riesennummer ab und wir lassen das auf uns sitzen? Ebermann, du bist ein Idiot!« Die letzten Worte zischte er so, dass es in meinem Ohr wehtat.

Ich nahm all meinen Mut zusammen. »Wenn ihr uns nicht in Ruhe lasst, erzählen wir euren Eltern, was ihr so getrieben habt!«, sagte ich, so cool ich konnte.

Lucas lachte.

»Du kleiner Trottel glaubst wirklich, die wüssten das nicht längst?«, brüllte er. »Was glaubst du wohl, wie wir wieder in unsere Häuser gekommen sind in der Nacht? Ohne Klamotten und Haustürschlüssel? Du Volldepp, wir haben alle so einen Ärger gekriegt, das kannst du dir nicht vorstellen! Hör mir jetzt ganz genau zu, Mister Piggy!«

Mir war mittlerweile so schlecht, dass ich schwitzte. Daran hatten Karli und ich nicht gedacht.

»Dafür werdet ihr bezahlen, Dumbo und du!«, sagte Lucas. »Glaubt nicht, dass ihr auch nur noch *einen einzigen* ruhigen Tag in eurem Leben haben werdet! Wir beobachten euch. Jeden einzelnen Tag. Und wir werden euch alles heimzahlen, ihr hirnamputierten Kleinkinder!«

»Aber«, sagte ich, »du bist doch auf Bali!«

Lucas hatte lange genug damit angegeben, was für einen tollen Urlaub er dieses Jahr wieder mit seinen Eltern machen würde. Er war ja der Anführer der Fabs, was vielleicht auch daran lag, dass sein Vater der reichste von allen Fab-Vätern war und dass Lucas immer das Beste und Tollste von allen hatte. Und das ließ er ständig raushängen.

»Du bist so dämlich, dass es kracht, Ebermann«, stöhnte Lucas. »Ja klar bin ich auf Bali. Aber nur drei Wochen, nicht die ganzen Ferien. Und wie du weißt, habe ich meine Männer. Die werden euch im Auge behalten, bis ich zurück bin! Und ich habe mein Handy auch auf Bali dabei. Ich kann von überall auf der Welt aus operieren!«

Das klang wie aus einem Gangsterfilm. Mir wurde klar, dass Lucas es ernst meinte. Und dass die Fabs vor nichts zurückschrecken würden.

»Macht euch auf was gefasst, der Dumbo und du!«, sagte Lucas. »Schöne Ferien!«

Damit legte er auf.

In meinem Kopf ratterte es. Wie hatten Karli und ich diesen Fehler im Plan bloß übersehen können? Wir waren einfach nicht geübt darin, fies zu sein. Die Fabs waren alle bereits in der Nacht unserer Schwimmbadaktion aufgeflogen und hatten ihren Ärger schon gehabt. Jetzt gab es nichts mehr, womit Karli und ich sie dazu bringen konnten, uns in Ruhe zu lassen. Und dieser Anruf war eine handfeste Drohung gewesen.

Ich wollte gerade Karli anrufen, um ihm zu erzählen, was passiert war, als das Telefon wieder klingelte. Ich nahm ab und erwartete schon fast, wieder Lucas' Stimme zu hören.

»Hallo, Martin«, sagte eine Frauenstimme. »Hier ist Frau Rosenberg.« Karlis Mutter. Ich war erleichtert.

»Kann ich deinen Vater einen Moment sprechen, bitte?«

»Klar«, sagte ich und wunderte mich, was sie von ihm wollte.

»Kann ich danach mal mit Karli reden?«

»Der putzt gerade die Küche«, sagte Frau Rosenberg. »Aber du kannst später mit ihm sprechen, heute Abend.«

Es passte mir gar nicht, dass ich noch so lange warten musste, bis ich Karli haarklein von dem Gespräch mit Lucas erzählen und mit ihm beratschlagen konnte, wie alles weitergehen sollte.

Aber wenn Frau Rosenberg Karli wegen unseres nächtlichen Ausfluges zu Strafdiensten herangezogen hatte, würde sie ihn sicher nicht vom Putzdienst befreien, damit er mit mir telefonieren konnte.

Während Frau Rosenberg mit Papa telefonierte, überlegte ich fieberhaft, wie Karli und ich aus der Nummer wieder rauskommen sollten. Aber mir fiel einfach nichts ein. Wenigstens hatte Papa eine gute Nachricht für mich, als er nach dem Telefonat zu mir kam und sagte: »Karli kommt gleich zum Abendessen.«

»Echt?«, fragte ich erstaunt. »Wir haben doch Hausarrest?«

»Ich habe meine Gründe«, sagte Papa kurz angebunden und verschwand wieder.

Jetzt war ich sehr gespannt und überlegte, was da vor sich ging. Ich hatte aber keinen blassen Schimmer. Also ging ich nach unten, um mich, bis Karli kam, ein bisschen abzulenken.

Ein Abendessen mit der ganzen Crew

Die Tür zur Küche stand offen. Papa drehte gerade am Backofenschalter herum. Opa saß am Küchentisch und las Zeitung. Irgendetwas war anders als sonst.

Mir fiel auch ziemlich schnell auf, was es war: Wenn Papa und Opa in einem Raum sind, ist es für gewöhnlich nie lange ruhig. Sie ärgern sich eigentlich ständig gegenseitig. Das Bild mit dem für Nahrung sorgenden Papa und dem friedlich lesenden Opa war aber fast schon idyllisch.

Da stimmte doch etwas nicht!

»Was ist denn hier los?«, fragte ich.

»Was soll denn los sein?«, fragte Papa.

Opa sah nicht einmal von seiner Zeitung auf. Ein feines Lächeln erschien auf seinem Gesicht.

Da war etwas faul, ich konnte es förmlich spüren.

»Du könntest den Tisch drüben decken«, sagte Papa und deutete auf eine Ansammlung von Tellern und Besteck, die auf der Anrichte lagen.

Ich nahm die Teller und ging ins Wohnzimmer, wo auch der Esstisch steht. An dem essen wir nur, wenn Besuch kommt. Da Karli kommen würde, war das also nichts Besonderes. Als ich die Teller verteilte, merkte ich aber, dass etwas nicht passte. Ich zählte nach: sechs Teller.

Papa, Opa, Karli und ich: vier.

Teller: sechs.

Dass Papa sich bei so was vertut, glaubte ich nicht. Er ist schon von Berufs wegen so genau, das passt nicht zu ihm. Hier *war* etwas faul, so faul, dass es schon gewaltig stank.

Ich ging in die Küche. »Wir haben zwei Teller zu viel«, sagte ich.

»Wir haben sechs Teller auf dem Tisch, weil wir zu sechst um ihn herumsitzen und essen werden«, sagte Papa. »Sinnvoll, oder?«

Ich konnte sehen, dass er meine Ratlosigkeit genoss.

»Ich, Karli, Opa, du«, zählte ich auf. »Macht summa summarum ... vier.«

»Der Esel nennt sich stets zuerst«, sagte Opa.

Er hat leider Omas Angewohnheit übernommen, alles mit Sprichwörtern zu kommentieren.

Papa grinste und in schönster Einigkeit zwinkerte Opa ihm zu.

Ich verstand nur Bahnhof.

In dem Moment klingelte es an der Haustür.

Papa ging in den Flur, um zu öffnen. Ich rannte hinterher. Als Erstes erschien Karli auf der Bildfläche. Er war nicht allein. Hinter ihm kam seine Mutter durch die Haustür.

»Theodora Rosenberg«, sagte sie und schüttelte Papa die Hand. Mich lächelte sie freundlich an und sagte: »Na, Martin, alles klar?«

Ich brannte darauf, Karli von Lucas' Anruf zu erzählen, aber dazu gab es jetzt keine Gelegenheit.

Papa und Karlis Mutter tauschten Höflichkeiten aus und Papa

111

hängte ihren Mantel auf. Opa war mittlerweile auch aus der Küche gekommen und machte bei dem Begrüßungsdurcheinander mit. Bevor sich der Tross in Richtung Essplatz in Bewegung setzen konnte, klingelte es erneut.

Papa machte auf. Mama stand in der Tür.

»Du hast doch einen Schlüssel«, sagte Papa. »Du *wohnst* hier, schon vergessen?«

»*Im Moment nicht*«, sagte Mama.

Sie betonte jedes einzelne Wort und guckte Papa mit einem Eiszapfenblick an, von dem selbst mir kalt wurde.

Papa drehte sich um und rollte die Augen. Opa kicherte.

»Hallo, Hermann«, sagte Mama zu Opa und »Hallo, Schatz« zu mir und gab mir einen Kuss auf die Backe. (Was Mütter mit der elenden Küsserei haben, muss mir auch noch jemand erklären.) Karli bekam ein Hallo ohne Kuss. Richtig freundlich war Mama erst, als sie Karlis Mutter begrüßte.

»Hallo, Theo!«, sagte sie und strahlte wie ein Atomkraftwerk.

»Hallo, Susanne!«, strahlte Frau Rosenberg zurück.

Ich verstand gar nichts mehr.

»Ihr kennt euch?«, fragte ich.

»Ja«, sagte Mama, »wir sind im selben Arabischkurs.«

Arabisch? Seit wann lernte Mama Arabisch? Und vor allem: wozu???

Jedenfalls war mir nun der Sinn des fünften und sechsten Tellers klar. Was ich von alldem halten sollte, wusste ich allerdings nicht. Während die Erwachsenen durcheinanderredeten und sich an den Tisch begaben, nutzte ich die Gelegenheit und flüsterte Karli ins Ohr: »Lucas hat vorhin angerufen!«

»Was?«, rief Karli und sah mich erschrocken an.

Ich wollte gerade loslegen und ihm alles erzählen, als Mama in den Flur schaute.

»Na los, ihr beiden! Wir haben mit euch zu reden!«

»Später«, flüsterte ich Karli zu, und wir ließen uns von Mama ins Esszimmer bugsieren.

Erst lief alles ganz normal.

Mama und Frau Rosenberg unterhielten sich über ihren Arabischkurs, Opa saß pfeifend vor seinem Teller (weshalb Mama ihn immer wieder böse anstarrte), und Karli und ich gingen in die Küche, um Papa mit dem Essen zu helfen. Da gab es allerdings nicht viel zu tun. Er hatte drei Bleche in den Ofen geschoben und auf jedes eine Tiefkühlpizza gelegt. Die war an den Rändern nun ein bisschen dunkel, aber sie sah noch essbar aus. Karli und ich schnitten die fertigen Pizzen in Achtel und brachten alles an den Esstisch, während Papa drei weitere Pizzen in den Ofen schob.

»Oh, da war ja Bocuse höchstselbst am Werk«, sagte Mama, als Papa zurückkam. Sie kann Fertigpizza nicht leiden.

Papa überhörte Mamas Spott, und das war der Moment, in dem mir endgültig klar wurde, dass das hier ganz definitiv kein harmloses Abendessen für Karli und mich werden würde. Es dauerte dann auch nicht lange, bis der Stein ins Rollen kam.

»Sag mal, Susanne, was macht ihr eigentlich in den Ferien?«, fragte Frau Rosenberg in die mampfende Stille hinein.

»Eigentlich«, sagte Mama, »wollten wir nach Spanien fahren, aber uns ist etwas … (sie schickte mit ihren Augen einen Pfeil auf Papas Arm) dazwischengekommen. Ich bleibe hier und mache vielleicht einen Yogakurs. Und du und Karli?«

Sie sah Frau Rosenberg unschuldig an.

»Och«, sagte Karlis Mutter. »Karli sollte eigentlich mit seinem Vater nach Südfrankreich, aber der hat mal wieder eine Neue und zieht Urlaub ohne Kinder vor. Ich werde mich jeden Tag in die Hängematte legen und in die Wolken gucken.«

Mama und Frau Rosenberg sahen Papa an und wie auf ein Stichwort redete der jetzt los.

»Ich«, sagte Papa, »werde ja aus bekannten Gründen *nicht* nach Spanien fahren« (Mama verdrehte die Augen und fuchtelte mit den Händen, was wohl so was heißen sollte wie: »Ist doch jetzt egal, mach schon«), und Papa machte schon. »Für Martin und Karli ist es natürlich schade«, sagte er.

Alle sahen Karli und mich an.

Sie lächelten.

»Vielleicht«, fuhr nun Frau Rosenberg fort, »bräuchtet ihr, Karli und du, Martin, einmal einen schönen Urlaub!«

Je freundlicher sie lächelten, desto komischer wurde mein Gefühl. Tagelang hatten alle auf uns eingehackt, wir waren »missratene Bengel« gewesen, das Wort »kriminell« war gefallen – und auf einmal wollten sie uns in Urlaub schicken? Wahrscheinlich sollten wir mit einer Jugendgruppe fahren, alleine würden sie uns ja kaum ziehen lassen. Früher hätte man mich mit so was jagen können, aber jetzt, mit Karli zusammen … Das wäre sensationell! Wir würden die Ersten in unserer Klasse sein, die ohne Eltern in Urlaub fahren durften!

Mir wurde ganz warm vor Aufregung.

»Wo fahren wir denn hin?«, fragte ich.

Gespannt sahen wir unsere Eltern an.

Jetzt kam Opas Auftritt. Er räusperte sich und stand auf.

»In diesem Haushalt verhungert man! (Er deutete mit dem Stock auf die kümmerlichen Pizzareste.) So läuft das jeden Tag! Außerdem hocken die Jungs den ganzen Tag in Martins Zimmer, du (er fuchtelte mit dem Stock vor Papas Nase herum) liegst im Liegestuhl und liest Zeitung, und ich vertrockne vor Langeweile im Sessel, bis von mir auch nur noch Krümel übrig sind! Maria ist nicht da und jetzt muss ich auch noch mit *Kriminellen* an einem Tisch sitzen!« (Er pikste Karli und mich mit seinem Stock.)

»Was wir brauchen«, rief er und machte eine kleine Pause, »was wir brauchen ist … Männerurlaub!«

Opa sah triumphierend in die Runde.

Papa nickte, Mama und Karlis Mutter grinsten (und sahen nicht im Mindesten überrascht aus), und ich war so ratlos, wie Karli aussah.

Männerurlaub? »Wir«?

Wer war »*wir*«?

Nach und nach erfuhren wir, was unsere Familien für uns geplant hatten.

Opa hatte von einem Bekannten ein Grundstück gemietet, das an einem großen See in Frankreich lag. Es war so eine Art Zelt-Wohnwagen-Blockhütten-See. Papa hatte einen Wohnwagen organisiert, und der Plan war, dass Karli und ich mit Opa und Papa und dem Wohnwagen nach Frankreich aufbrechen und dort die Sommerferien verbringen sollten.

Von wegen ohne Eltern!

Mit Opa und Papa in einem stickigen Wohnmobil!

Das sicher höchstens so groß war wie unser Badezimmer!

Opa, der am laufenden Band furzte, Papa, der nachts schnarch-
te, und Karli und ich, die da kein Auge zukriegen würden!
Kein PC, keine Stereoanlage und überhaupt: Was würden wir
essen? Wochenlang nur Fertigpizza?
Das war kein Urlaub, das war ein Straflager!
Und in diesem Moment, als ich die harmlos lächelnden Gesichter von Mama, Papa und Frau Rosenberg sah und Opas
hinterhältiges Grinsen, wusste ich, dass es auch genau das für
uns sein sollte!
Karlis Kinnlade klappte nach unten.
»Prost!«, riefen die Erwachsenen und ließen die Gläser klir-
ren.
Ich störte mich aber eigentlich nicht wirklich an ihren scha-
denfrohen Gesichtern, denn mir war sofort klar, dass dieser
Urlaub trotz allem das Beste war, was Karli und mir passieren
konnte: Wir würden den FabFive entkommen! Sie konnten
sich Gemeinheiten ausdenken, soviel sie wollten, es brauchte
uns nicht zu interessieren.
Weil die Fabs hier waren.
Und Karli und ich in Frankreich!
Ich hob lächelnd mein Colaglas und stieß mit an.

Eine neue alte Rakete

Nach dem Essen fingen die Erwachsenen an, den Urlaub zu besprechen und über so langweiligen Kram wie Geld und Benzin und Koffer zu reden. Karli und ich verzogen uns auf mein Zimmer und ich konnte endlich von Lucas' Anruf berichten.

»Wow«, sagte Karli und zog die Augenbrauen hoch. »Es war ganz schön dämlich von uns, zu glauben, dass die Eltern der Fabs nichts mitkriegen würden. Anfängerfehler. Was für ein Glück, dass wir in Urlaub fahren!«

»Du sagst es.« Ich nickte. »Da schlage ich mich lieber ein paar Wochen mit Papa und mit Opa rum als mit den Fabs!«

»Wir sollten uns im Urlaub einen guten Plan machen, wie wir uns gegen die Fabs wehren können«, sagte Karli. »Sonst haben wir am ersten Schultag ein ganz gewaltiges Problem!«

Tja, was soll ich sagen. Wenn wir da schon gewusst hätten, dass dieses ganz gewaltige Problem nicht am ersten Schultag auf uns wartete, sondern in Frankreich, hätten Karli und ich uns mit Händen und Füßen gewehrt und wären niemals ins Auto gestiegen, um in den Urlaub aufzubrechen.

Aber an diesem Abend wussten wir nichts davon, und so begannen wir zu planen, was wir alles mitnehmen wollten.

Karli überspielte CDs auf den MP3-Player, während ich meine kleine Anlage abbaute und alles zusammen mit dem ganzen Kabelkram auf den Teppich legte. Dann suchten wir die besten PC-Hefte heraus (davon hatte ich mehrere Riesenstapel) und ein paar Comics. Karli schleppte auch noch ein paar Musikmagazine an und ich legte unsere Nintendos dazu.

Da wir uns fest vorgenommen hatten, in den Ferien cool zu werden, mussten wir aber auch Opfer bringen – *große* Opfer: Wir haben uns Hip-Hop-Musik und all so was auf den MP3-Player geladen. Karli und ich mögen ja eigentlich nur Rock, aber das hört niemand außer uns und Mädchen schon zweimal nicht. Zumindest kenne ich keine.

»Wir könnten vielleicht Fußball spielen«, sagte Karli. »Die Fabs machen alle irgendeinen Sport.«

»Ich kann nicht Fußball spielen«, sagte ich. »Ich hab zwei linke Beine. Aber wir könnten zum Beispiel üben, wie man cool geht.«

»Au ja«, sagte Karli. »Lucas ist ein Volltrottel, aber er schlendert ganz schön lässig.«

»Was der kann, können wir schon zweimal«, sagte ich. »Und ich werde mal Papa bequatschen, dass ich endlich Kontaktlinsen bekomme. Meine Glasbausteinbrille ist ja nun wirklich das Uncoolste, was es gibt.«

»Genau«, sagte Karli. »Und wir sollten Hanteln mitnehmen. Da krieg ich vielleicht aus den Streichhölzern hier ein paar ordentliche Muckis hin!« Er befühlte seine Arme und seufzte.

»Wir haben keine Hanteln«, sagte ich.

»Dann stemmen wir eben Baumstämme«, sagte Karli und grinste. »Oder wenigstens Wasserflaschen.«

Wir überlegten uns noch eine ganze Menge Dinge, die wir tun wollten, um mindestens genauso cool zu werden wie die Fabs.

Und das war unsere Liste:

Schwimmen
Kopfsprung üben
Hip-Hop-Musik hören
Hip-Hop-Texte lernen
Coole Klamotten kaufen
(wenn wir in die Stadt kommen)
Lässig schlendern lernen
Mädchen anmachen (die brauchen wir ja sowieso
nie wiederzusehen, falls es schiefgeht)

Wir konnten den Urlaub kaum noch abwarten!

Als am nächsten Tag der Wohnwagen gebracht wurde, den Papa über das Internet günstig gekauft hatte, bekam unsere gute Laune einen kleinen Dämpfer.
Das Erste, was mir auffiel, als wir hineingingen, war der muffige Geruch. Als würde man in einer riesigen Socke verschwinden, die jemand eine Woche lang zum Sport getragen und in der Sporttasche aufbewahrt hat.
»Huargh«, sagte Karli.
Opa hustete und ich nieste.
Papa schwieg.
»Viel Spaß damit!«, rief der Mann, der das Ding hergefahren hatte, fröhlich in unsere Richtung und stieg schnell in seinen

roten Sportwagen ein, mit dem er den Wohnwagen herge-
bracht hatte. Mir war klar, warum er so erleichtert aussah,
als er abfuhr: Das Ding hier war uralt und genau so roch es
auch.

»Vielleicht«, sagte Papa, »wenn man die Fenster auf-
macht ...«

Das erste klemmte.

Das zweite ließ sich immerhin kippen. Danach sah man mehr
von der Straße draußen als vorher, die Scheibe war nämlich
fast blind. Vielleicht wollte sie die grauenhafte Einrichtung
nicht mehr sehen. Alles war orange und braun. Vorhänge,
Wände, Möbel. Alles.

»Alles« war übrigens nicht viel. Es gab eine kleine Kochzeile,
ein Bett und einen wackeligen Tisch mit zwei Bänken. Diese
Konstruktion konnte man mit viel Aufwand in ein zweites
Bett verwandeln. Daneben eine Tür, die Karli gerade aufmachte.

»Huargh«, sagte er wieder.

Ich ging zu ihm, um zu schauen, was es da gab. Karli musste
aber erst wieder aus der Tür raus, damit ich hineinkonnte.
Hinter der Tür war das Bad. Es gab ein Klo, eine winzige
Dusche und ein Miniaturwaschbecken. Mann, war das eng!
Also, ich hatte da nicht viel Bewegungsfreiheit drin. Genau
genommen hatten *wir alle* nicht viele Möglichkeiten, uns zu
bewegen, wenn wir gleichzeitig im Wohnwagen standen.

»Hier können wir doch nicht zu viert drin wohnen!«, sagte
ich.

Papa sah aus, als ob er sich das Ganze auch etwas größer vorgestellt hatte, und schwieg immer noch.

»Ach was!«, sagte Opa und schlug mit seinem Stock auf das Bettpolster, aus dem prompt eine Staubwolke aufstieg, die ihn einhüllte. »Als ich klein war, habe ich mit meinen drei Geschwistern eine Art Besenkammer teilen müssen!«

Papa rollte die Augen. »Die Armen«, sagte er leise.

Karli kicherte. Opa hatte offensichtlich nichts gehört. Die Staubwolke senkte sich und Opa setzte sich mit einem zufriedenen Lächeln auf das große Bett.

»Hier werde ich schlafen wie ein Baby«, sagte er und tätschelte das Polster.

»Moment«, sagte Papa. »*Wir* werden da schlafen.«

»Wir beide?«, sagte Opa. »Kommt überhaupt nicht infrage! Ich brauche meinen Platz. Schlaf du mal da drüben!«

Er deutete mit seinem Stock auf das kleine Sofa an der anderen Kopfseite, neben der Klotür.

»Na, und die Jungs?«, rief Papa. »Wo sollen die denn dann schlafen?«

»Ja, da!«, rief Opa und deutete mit seinem Stock auf den Boden.

Hä?

»Ich schlafe doch wohl nicht auf dem Boden!«, rief ich.

»Das schadet euch nicht, für die paar Tage!«, sagte Opa. »Als ich klein war …«

Karli und ich stiegen schnell aus. Wenn Opa erst mal mit »Als ich klein war« anfing, hörte er so schnell nicht mehr auf, und es endete immer damit, dass die Jugend von heute verweichlicht und undankbar war.

»Nie im Leben schlafe ich da drinnen«, sagte ich. »Nie!«

Karli überlegte.

»Ich packe mein Zweimannzelt ein«, sagte er. »Es ist noch ganz neu. Hat Papa mir zum Geburtstag geschenkt. Wir bauen es auf der Wiese auf und schlafen da!«

»Gute Idee«, sagte ich. »Kein furzender Opa, kein schnarchender Papa, nur frische Luft.«

»Und wir können so lange aufbleiben, wie wir wollen!«, sagte Karli.

Am Tag vor der Abfahrt gab es eine lange Verabschiedung von unseren Müttern, mit hundertfünfzig Ermahnungen. Wir sollten uns anständig benehmen und die Zähne putzen und was weiß ich alles.

Endlich verabschiedete sich Frau Rosenberg von Karli, der die Nacht bei uns verbringen sollte, da wir sehr früh starten wollten. Sie umarmte ihn so fest wie eine Boa Constrictor. Karli verdrehte die Augen.

Meine Mutter war zum Glück nicht ganz so rührselig.

»Sag deinem Vater, wenn etwas ist, kann er mich auf dem Handy erreichen!«, sagte sie zu mir.

»Sag's ihm doch selbst«, antwortete ich. »Er steht doch gleich dahinten!« Papa war nicht einmal fünf Meter entfernt und hievte gerade einen Riesenkoffer in den Wohnwagen.

»Ich rede nicht mit ihm, bis Rosi verschwunden ist!«, sagte Mama. »Dieser Feigling soll ruhig schmoren!«

Ich seufzte. Wie kindisch können sich Erwachsene denn anstellen?

»Nö«, sagte ich. »Ich bin doch nicht euer Depp!«

»Aber Martin«, sagte Mama ganz erstaunt, »so kenne ich dich gar nicht!«

Mir dämmerte, dass ich gerade dabei war, ein neuer Martin zu werden. Der alte hätte sich nie getraut, so etwas zu Mama zu sagen. »Tja«, sagte ich. »Es geschehen noch Zeichen und Wunder!«

Mama seufzte und ging zu Opa. Wahrscheinlich wollte sie nun ihn als Nachrichtenübermittler einspannen. Opa grinste und ließ Mama offensichtlich ebenso abblitzen.

Sie schrieb etwas auf einen Zettel und rief: »Ich lege den Zettel für Eric ins Handschuhfach!«

Ich dachte, ich bekomme einen Hörsturz.

Immerhin erreichte Mama, was sie wollte, denn Papa sah auf.

Dann schüttelte er den Kopf und machte mit seiner Einpackarbeit weiter.

Schließlich verabschiedeten sich Mama und Frau Rosenberg, Papa hörte mit Einräumen auf und Karli und ich verzogen uns auf mein Zimmer.

»Wird bestimmt cool in Frankreich«, sagte ich, als wir in den Federn lagen.

»Auf jeden Fall werden wir üben, cool zu werden«, sagte Karli.

»Unbedingt«, sagte ich und grinste. »Und wir lassen uns was einfallen, was wir machen können, damit die Fabs uns in Ruhe lassen. Aber das hat ja noch ein bisschen Zeit.«

Dachte ich.

Auf zum Raketenstartplatz!

Am Abfahrtstag saßen wir morgens um halb neun im Auto und starteten in Richtung Frankreich. Nach ein paar Streitereien hatten sich Papa und Opa geeinigt, dass Papa fahren würde, und Opa hatte auf dem Beifahrersitz Platz genommen. Papa bereute das sehr schnell, denn Opa kommentierte alles, was Papa tat oder ließ. »Hier ist 100 erlaubt, du fährst aber 120«, »Blink mal, du musst da vorne nach links« oder: »Achtung, da kommt eine Ampel.« Während die beiden vorne herumzankten, wurde ich wieder müde. Karli und ich hatten die halbe Nacht gequasselt und waren jetzt beide ziemlich k. o. und schweigsam.

Irgendwann muss ich eingeschlafen sein. Ich träumte davon, wie ich auf dem Pausenhof stand und cool an der Wand lehnte. Ich trug lässige Klamotten, meine Augen waren ein Mädchentraum, und ich gähnte, als Aline an mir vorbeiging und mich anhimmelte.

»Hey«, sagte Karli, der mindestens fünf Kilo Muskelmasse zugenommen hatte und genauso cool neben mir an der Wand lehnte, »was will denn die Kleine von uns?«

»Keine Ahnung«, sagte ich. »Nicht mein Typ. Aber die dahinten ist ganz nett.«

Da stand eine dunkelhaarige Schönheit und lächelte mir zu.

Ich grinste lässig. Das Mädchen kam zu mir rüber und legte seine Hand auf meine Schulter.

»Hey«, sagte sie mit einem Mega-Augenaufschlag.

»Hey, Mops!«, sagte sie noch mal und schüttelte mich ziemlich unsanft.

»Was ist denn?«, fragte ich und machte die Augen auf.

Opa rüttelte an meiner Schulter.

»Wir sind da!«, sagte er.

Tja, da träumt man von einem Eins-a-Mädchen und dann erscheint plötzlich Opas Gesicht – aus seiner Nase wachsen Haare!

Ich sah auf meine Digitalarmbanduhr. Es war kurz nach eins.

»Wir sind da!«, rief Opa noch einmal und pikste den schlafenden Karli mit seiner Stockspitze wach.

Der fuhr hoch und rieb sich die Augen.

Wir sahen aus dem Fenster.

Hier war ordentlich was los. Überall rannten Leute in Badeklamotten rum, Kinder spielten und dazwischen sprangen Hunde umher und bellten. Allmählich kam bei mir Urlaubsstimmung auf.

Wir passierten eine Schranke.

Das Gelände war von Straßen durchzogen. Rechts und links von den Schotterstraßen standen hohe Hecken, hinter denen die einzelnen Grundstücke lagen. Zu jedem Grundstück führte ein Tor, an dem eine Nummer stand. Wir hatten die Sechsundfünfzig.

Papa bog um eine Ecke.

»Wir müssen ganz in der Nähe sein«, sagte er. »Auf welcher Seite muss ich gucken?«

Ich fuhr mit dem Finger den Plan entlang und Karli spähte aus dem Fenster.

»Links«, sagte er.

»Rechts«, sagte ich.

Papa stöhnte.

»Nee, links, stimmt«, sagte ich und drehte den Plan ein wenig. Ich hatte unser Grundstück gefunden. Es lag in der dritten Reihe, vom See aus gesehen.

»Hier!«, rief Karli und wedelte mit dem Arm in Richtung Tor auf der linken Seite. Auf einem etwas rostigen Schild stand »56«.

Papa hielt, und Karli und ich stiegen aus, um das Tor zu öffnen.

Es quietschte in den Angeln.

Während Papa hineinfuhr, sahen Karli und ich uns um.

Wir standen auf einer nassen Wiese, die offensichtlich seit Jahren niemand mehr gemäht hatte. Die Hecke sah aus, als hätte ein kleines Kind Friseur gespielt, und in einer Ecke stand ein windschiefer Baum. In einer anderen Ecke war früher wohl so was wie ein Gemüse- oder Blumenbeet gewesen, man konnte es an dem, was an braunen Büscheln noch übrig war, nicht mehr richtig erkennen.

»Huargh«, sagte ich.

»Cool ist anders«, sagte Karli.

»Hey, ihr zwei!«, brüllte Papa aus dem Auto. »Helft mir mal einparken!«

Er legte den Rückwärtsgang ein. Zuerst sah auch alles gut aus. Plötzlich machte der Wohnwagen einen Bogen.

»Scheiße!«, brüllte Papa und bremste.

Leider ein bisschen zu spät. Es rumste. Der schiefe Baum
neigte sich ein Stückchen mehr.
»Der Baum verneigt sich vor deinen Fahrkünsten«, sagte
ich.

Papa sah mich an, als wollte er mich erwürgen.
»Ihr sollt mir helfen!«, brüllte er. »Nicht zugucken, wie ich
hier den Wald abrasiere!«
Das war leider nicht so einfach, wie ich dachte.
»Rechtsrum«, sagte ich.
»Nee, nach links«, sagte Karli.

»Ach was, das Steuer ganz gerade halten«, rief Opa.

Papa sah richtig verzweifelt aus – der Wohnwagen machte, was er wollte.

»Bist du noch nie mit einem Anhänger gefahren?«, fragte Opa und guckte Papa interessiert an.

»Nein«, fluchte der. »Und ich glaube, ich mache es auch nie wieder!«

Das Hin- und Herrangieren dauerte noch mindestens eine halbe Stunde, bis der Wohnwagen endlich so stand, wie er sollte, und das Auto mit der Schnauze in Richtung Ausfahrt wies.

Als Papa ausstieg, war er verschwitzt und äußerst schlecht gelaunt.

Ich dachte an Lucas, der jetzt in einem schicken Beach-Resort irgendwo auf Bali in einem Liegestuhl lag. Sein Vater steckte der Schönheit, die ihm ein Getränk mit Palmenstrohhalm drin servierte, lässig einen Schein zu.

»Geschafft«, sagte Karli. »Jetzt können wir ja an den See gehen.«

»Prima!«, rief ich. »Ich hole mal schnell die Liegematten.«

»Ich glaube, ich höre nicht richtig«, sagte Papa. »Bevor hier irgendwer an den See geht, wird der Wohnwagen an Strom und Wasser angeschlossen. Außerdem müssen wir heute Abend etwas essen, das sollten wir noch einkaufen gehen. Oder wollt ihr hungrig ins Bett gehen?«

Ich hatte mich schon am See liegen und nach Mädchen Ausschau halten sehen. Wir wollten schließlich coole Jungs werden.

Aber was sollten wir machen. Wir halfen also Papa, den

Wohnwagen anzuschließen. Er hatte keine Ahnung, wie man so etwas macht, keiner von uns hatte das, und so dauerte es ein bisschen, bis alles funktionierte. Als wir endlich einkaufen gehen konnten, war es schon nach acht Uhr. Zum Glück sind in Frankreich die großen Supermärkte bis um neun geöffnet.

Papa war nun wieder deutlich besser gelaunt und ließ Karli und mich aussuchen, was wir essen wollten. Wir entschieden uns für Ravioli. Papa kaufte fünf große Dosen und Karli und ich durften sogar noch einen Nachtisch wählen.

»Hier«, sagte ich und nahm eine Schokoladeneispackung aus der Gefriertruhe.

Auf der Abbildung sah man große Eiskugeln mit dicken Schokostückchen drin. Mir lief schon das Wasser im Mund zusammen. Papa nahm mir die Packung aus der Hand und legte sie anstandslos in den Einkaufswagen.

An der Kasse mussten wir eine Ewigkeit warten. Vor uns standen bestimmt zehn Leute mit vollen Einkaufswagen und die meisten Leute hatten Kinder dabei. Eines war gerade damit beschäftigt, das Süßwarenregal an der Kasse auszuräumen. Die Mutter fand das nicht komisch und redete auf das Kind ein. Dahinter stand ein Typ, der aussah wie aus einem Surferkatalog. Wir konnten ihn nur von hinten sehen, aber er hatte ein Stirnband um die Hawaiifrisur geschlungen und stand so breitbeinig und lässig da, wie wir es von den Fabs kannten.

»Solche Typen gibt's echt überall«, flüsterte ich Karli zu.

»Und überall sehen sie gleich aus«, seufzte Karli zurück.

Das stimmte. Das T-Shirt war, dem Aufdruck nach zu schließen, von der gleichen Firma wie Lucas' Klamotten, und die Frisur war eins zu eins die gleiche. Man hätte den Typen glatt für Lucas halten können, wenn wir nicht gewusst hätten, dass er niemals seine Ferien auf einem Campingplatz verbringen würde. Der saß jetzt in irgendeinem schicken Restaurant auf Bali und sein Vater bestellte lässig das beste Essen, während wir Dosenravioli auf dem Gasherd warm machen würden. Es schien so, als ob Karli und ich selbst im Urlaub zu den uncoolsten Jungs gehörten.

Als wir endlich an der Reihe waren, hatte ich gute Lust, wie das kleine Kind eben das Süßwarenregal auszuräumen, so schlecht gelaunt war ich plötzlich. Aber Papa kam mir zuvor.

»Pfefferminzbonbons oder Schokokugeln?«, fragte er und zeigte aufs Süßwarenregal.

»Äh«, sagte ich. »Schokokugeln.«

Papa griff mit beiden Händen in das Fach mit den Schokokugeln und legte alles auf das Kassenband.

Irgendwie war ich misstrauisch, weil Papa so spendabel war. Zu Hause ist er nicht so.

Wie recht ich hatte, merkten Karli und ich nach dem Abendessen. Wir hatten uns den Bauch vollgeschlagen und gerade den Rest vom Schokoladeneis verputzt, als die Bombe platzte.

»Wir könnten zum Einschlafen noch ein paar Detektivhörspiele hören«, schlug Karli vor.

»Wenn ihr Krach macht, kann ich nicht schlafen«, meckerte Opa.

»Nö«, sagte ich. »Wir haben doch unsere MP3-Player dabei. Die haben Kopfhörer.«

Da fiel mir auf, dass ich Karlis und meine Tasche nicht entdecken konnte.

»Papa«, sagte ich. »Wo sind denn unsere Taschen? Ich brauche den MP3-Player.«

Papa räusperte sich.

»Wir haben uns etwas überlegt«, begann er. »Opa, Mama, deine Mama (dabei schaute er Karli an) und ich.«

Das klang nicht gut.

Papa zog eine Reisetasche unter dem Klappbett hervor.

»Wir dachten uns, zu Hause sitzt ihr nur vor dem Computer und lest Computerzeitschriften …«

»… und brecht in Schwimmbäder ein«, rief Opa dazwischen.

»Also«, sagte Papa nach einem Seitenblick auf Opa, »haben wir euch eine Tasche mit Dingen gepackt, die ihr in diesem Urlaub viel besser gebrauchen könnt. Schaut mal rein.«

Ich griff mir die Tasche und zerrte am Reißverschluss. Karli guckte mir über die Schulter.

Ein Kompass.
Ein Fernglas.
Ein Buch über Bäume und Vogelarten.
Ein Pfadfinderbuch.

Kein MP3-Player.
Keine Computerzeitschriften.
Keine Nintendos.
Keine Comics.

»Ich will unsere Sachen zurück!«, rief ich.

»Ich bitte auch«, piepste Karli.

»Die bekommt ihr«, sagte Papa. »Wenn ihr euch mal sinnvoll beschäftigt habt. Ich habe alles dabei. Sicher verwahrt!«

»Wie, *sinnvoll*?«, rief ich.

Das war ja wohl die Höhe!

»Na, da«, sagte Papa und deutete auf das Zeug in der Tasche. »Du bist doch so ein Naturfreak. Mach doch mal was in der Natur.«

»ICH BIN KEIN FREAK!«, brüllte ich. »Und ich interessiere mich für Experimente, die man *im Haus* machen kann! Ich will kein Pfadfinder werden! Das ist *uncool*!«

Karli nickte.

»Tja«, sagte Papa. »Wenn ihr euer Zeug haben wollt, dann müsst ihr was dafür tun. Opa und ich haben euch doch nicht aus dem Freibad befreit, damit ihr schön so weitermachen könnt! Strafe muss sein.«

Opa klopfte mit seinem Stock auf den Boden.

»Fein arbeiten, Jungs, fein arbeiten«, sagte er. »Hat noch niemandem geschadet!«

»Genau«, sagte Papa. »Wir haben uns ein paar Aufgaben für euch ausgedacht. Wenn ihr die löst, bekommt ihr eure Sachen zurück. Stück für Stück.«

Er kramte in seiner Hosentasche und förderte einen Zettel zutage, den er mir reichte.

Darauf stand:

Feuer machen
Bäume bestimmen

Musik machen
Wanderlieder lernen
Rasen mähen
Spülen
Andere sinnvolle Hausarbeit

Und noch so einiges mehr.
»Was ist *das* denn?«, rief ich.
»Na«, sagte Papa. »Sinnvolle Beschäftigung. Mal was anderes.
Langweilig wird es euch hier jedenfalls nicht werden.«
Ich heulte vor Wut auf.
»Wir haben Ferien!«, rief ich.
»Keine Sorge«, sagte Papa. »Ihr werdet genug Freizeit haben.
Sinnvolle noch dazu. Also allseits gute Nacht!«
Er grinste fröhlich und machte sich auf in Richtung winziges
Bad.
Karli und ich sahen uns an.
»Das glaub ich einfach nicht«, flüsterte ich. »Wir wollen *cool*
werden, nicht noch freakiger!«
Karli nickte und sah düster zu Boden.
Am nächsten Tag aber sollte am See etwas passieren, das uns
von dem Ärger mit Papa und Opa ablenkte und uns so richtig
aus den Latschen haute.

Fitnessübungen

Am Morgen waren Karli und ich immer noch einigermaßen angesäuert.
Wegen der blöden Aufgaben, die wir erfüllen mussten, um unsere Sachen zurückzubekommen. Und weil da Karlis Zelt dabei war und wir im Wohnwagen auf dem Gang schlafen mussten.
Weil Papa geschnarcht hatte wie ein Sägewerk und ich ständig wach geworden war.
Und überhaupt.
»Ich könnte platzen«, sagte ich, als ich mich aus dem Schlafsack quälte.
»Ich auch«, sagte Karli.
»Die werden sich wundern«, sagte ich. »Wir frühstücken jetzt erst mal anständig. Und dann wird gestreikt!«
Karli nickte.
Wir schlurften zur Tür.
Draußen schien die Sonne so hell, dass ich die Augen zukneifen musste.
»Guten Morgen!«, rief Opa uns zu.
Er lag in einem Liegestuhl und hielt das Gesicht in die Sonne.
Papa hatte schon einen Gartentisch und vier Stühle aufgebaut. Er saß auf einem der Stühle und las ein Magazin.

»Guten Morgen«, sagte Karli.

Ich schnaubte nur.

Wir setzten uns an den Tisch.

Papa sah kurz auf. »Hallo«, sagte er.

Dann steckte er die Nase wieder in sein Heft.

Karli und ich warteten.

Die Vögel zwitscherten. Von den anderen Grundstücken hörte man Geschirrgeklapper und Stimmen. Der Himmel war strahlend blau. Alles war friedlich.

»Äh, Papa«, sagte ich.

»Hm?«, sagte Papa, die Nase immer noch in der Zeitschrift.

»Wann gibt es denn Frühstück?«, fragte ich.

»Dann, wenn ihr es geholt habt«, sagte er.

»Wie, wenn wir es geholt haben?«, fragte ich.

»Na, ich habe euch zwanzig Euro neben die Spüle gelegt«, sagte Papa. »Ich hätte gern zwei Roggenbrötchen. Und du, Vater?«

»Zwei Croissants«, rief Opa.

»Ach, und bringt noch Marmelade und Butter mit«, sagte Papa. »Wurst und Käse wären auch nicht schlecht.«

»Ja, aber wieso fährst du denn nicht einkaufen?«, rief ich.

»*Ihr* seid nachts in ein Freibad eingebrochen«, sagte Papa.

»Nicht *ich*.«

Hä?

»Na«, sagte er. »Schon vergessen, was wir gestern besprochen haben? Ihr glaubt doch nicht, dass wir euch beide jetzt zwei Wochen lang von hinten und vorn bedienen werden? Ich finde, *wir* haben uns den Urlaub verdient, nicht *ihr*. Was meinst du, Vater?«

»Ganz recht«, rief Opa und klappte seinen Liegestuhl ein Stück weiter nach hinten. »Die zwei Kriminellen können sich fein überlegen, ob sie nicht doch lieber eine moralisch einwandfreie Laufbahn einschlagen wollen.«

Papa und Opa lächelten in schönster Einigkeit.

Karli und ich sahen uns an.

Das war ja wohl die Höhe!

»Aber«, piepste Karli, »wie sollen wir denn ins Geschäft kommen? Und wo gibt es Brötchen?«

»Zusammen habt ihr zwei Münder und vier Beine«, sagte Papa. »Das sollte reichen, um nach dem Bäcker zu fragen und dorthin zu laufen.«

»Wir können kein Französisch!«, sagte ich.

»Lernt ihr doch seit zwei Jahren in der Schule«, sagte Papa. »Da sollte es wohl funktionieren, die Bäckerei zu finden. Heißt übrigens *Boulangerie*, wenn es euch hilft.«

»Das ist unfair!«, rief ich.

»Wie du meinst«, sagte Papa ungerührt. »Dann müsst ihr eben hungern!«

»Wenn wir nicht zum Bäcker gehen, kriegt ihr auch kein Frühstück! Da müsst ihr auch hungern«, sagte ich.

Papa grinste nur und klapperte mit dem Autoschlüssel in seiner Hosentasche. »*Ich* könnte mit dem Auto fahren«, sagte er.

Ich hätte platzen können! Ich war nun richtig sauer, aber Papa und Opa störte das offensichtlich überhaupt nicht.

»Komm«, sagte ich zu Karli. »Wir gehen.«

»Wollten wir nicht streiken?«, fragte er.

»Ich kann nicht mit leerem Magen streiken«, sagte ich.

Wir stapften also angesäuert in den Wohnwagen, nahmen das Geld und machten uns auf den Weg.

»Das geht doch jetzt nicht etwa die ganzen zwei Wochen so?«, fragte Karli.

»Keine Ahnung«, sagte ich. »Aber wir lassen uns was einfallen. Wir gehen bestimmt nicht jeden Tag die Brötchen holen!«

»Nie im Leben!«, sagte Karli. »Coole Jungs kaufen keine Brötchen. Oder glaubst du, Lucas muss auf Bali jeden Tag morgens in eine Bäckerei latschen?«

Nein, das glaubte ich nicht. Wir stellten uns vor, wie sich Lucas jeden Morgen von einer Inselschönheit ein Riesenfrühstück an die Hängematte bringen ließ.

»Es ist zum Mäusemelken«, schimpfte Karli.

Wir latschten weiter, bis wir an der ersten Kreuzung der Schotterwege standen.

»Woher wissen wir denn, wo wir langlaufen müssen?«, fragte Karli und kratzte sich am Kopf.

»Keine Ahnung«, sagte ich.

»Da lang«, entschied Karli und deutete nach vorne. »Ich glaube, da geht es zum Ausgang, und so sind wir auch gestern in den Supermarkt gefahren.«

Wir tappten also in Richtung Ausgang. Überall um uns herum hörten wir fröhliches Geplapper. An einer Hecke, hinter der es besonders verführerisch roch, blieben wir stehen und schauten durch die Zweige.

Eine Familie saß um einen großen Tisch, auf dem sich das herrlichste Frühstück türmte, das man sich denken konnte. Ich sah einen riesigen Korb voller Brötchen, Gläser mit Schokocreme und Marmelade, eine Käseplatte und eine gigantische, dampfende Kakaokanne.

Mir lief vom Schokoladenduft das Wasser im Mund zusammen.

Ein Junge in unserem Alter griff gerade nach einem Croissant.

»Der hat bestimmt nicht zum Bäcker laufen müssen«, sagte ich.

»Und wir latschen jetzt eine Ewigkeit durch die Gegend«, sagte Karli. »Es ist zum Ausschlagkriegen.«

Seufzend setzten wir uns wieder in Bewegung.

Zuerst kamen wir am Ausgang vorbei und dann ging es über einen Schotterfahrweg durch ein paar Felder.

»So lang war der Weg gestern doch gar nicht«, sagte Karli nach einer Weile.

»Gestern sind wir ihn auch *gefahren*«, sagte ich und kickte einen Stein zur Seite.

Dieser Urlaub entwickelte sich mehr und mehr in eine Richtung, die mir überhaupt nicht gefiel. Ich begann zu schwitzen. Zu Hause musste ich nie so weit laufen und langsam wurden mir die Beine schwer. Ich starrte schlecht gelaunt auf den Boden.

»Guck mal«, sagte Karli.

Uns kamen zwei Mädchen auf Fahrrädern entgegen. Die eine hatte lange blonde Haare, die andere einen dunklen Pferdeschwanz. Beide waren ziemlich hübsch.

»Die Blonde ist gut«, sagte Karli und grinste.

»Nee, die mit den dunklen Haaren ist besser«, sagte ich und grinste auch.

Als die Mädchen näher kamen, sahen wir, dass an ihren Lenkern große Brötchentüten hingen.

»Hey«, piepste Karli, »die wissen, wo es Brötchen gibt!«

»Du willst *die* fragen?«, sagte ich erschrocken. »So welche wie die kann man nicht ansprechen, die kann man nur angucken.«

Karlis Ohren schauten unter seinen Haarbüscheln hervor. »Im Urlaub kleb ich mir die Ohren nicht an«, hatte er schon zu Hause beschlossen. »Das Zeug hält eh nicht im Wasser.«

Und wie ich aussah, konnte ich mir nur zu gut vorstellen. Ich war verschwitzt, die Brille rutschte und sicher hatte ich vor Anstrengung ein rotes Gesicht. Ein ganz passables Gesicht, aber rot, mit ganz hübschen blauen Augen, die aber hinter den dicken Gläsern verschwanden.

Wir sahen beide nicht so aus, wie man auszusehen hat, wenn man solche Mädchen ansprechen will.

Andererseits waren wir mittlerweile so hungrig, dass wir uns nicht erlauben konnten, nachher irgendwo falsch abzubiegen. Länger konnten wir nicht überlegen, die Mädchen waren schon fast auf gleicher Höhe mit uns.

»Un moment, s'il vous plaît«, rief ich und wedelte mit den Armen. Das war so ziemlich das Einzige, was ich auf Französisch sagen konnte. Es heißt so viel wie: »Einen Moment, bitte.«

Was ich machen sollte, wenn ich eine französische Antwort bekam, wusste ich allerdings nicht.

Die Reifen ratschten auf dem Schotter und ein bisschen Staub wirbelte auf. Die Mädchen guckten uns misstrauisch an. Die mit den dunklen Haaren war wirklich nach meinem Geschmack.

Karli sah die Blonde an. Seine Ohren glühten.

»Was will denn der?«, fragte die Blonde ihre Freundin.

»Keine Ahnung«, sagte die.

Karli schluckte und machte den Mund auf, aber es kam nichts heraus. Er machte den Mund wieder zu und sah mich panisch an.

»Äh«, sagte ich. »Wir sollen Brötchen kaufen. Wo müssen wir denn lang?«

Wow, dachte ich. Ich hatte noch nie ein Mädchen angesprochen und dafür kam der Satz ganz cool aus mir herausgeschossen.

Ich versuchte, so gelangweilt auszusehen wie Lucas, wenn er mit Aline spricht, einer seiner tausend Verehrerinnen.

»Einfach den Weg weiter«, sagte Karlis Favoritin, »an der ersten Kreuzung nach rechts, dann kommt ihr auf die richtige Straße. An der zweiten Kreuzung geht's hinter der Tankstelle nach links, dann kommt ihr in den Ort, und dann müsst ihr geradeaus gehen, bis ihr zur Kirche kommt. Da geht ihr nach rechts und dann weiter geradeaus, bis ihr zur Bäckerei kommt.«

»Ah, bis zur Bäckerei«, sagte ich.

Sehr intelligenter Spruch, Martin, dachte ich. *Glückwunsch.*

»Bäckerei heißt hier *Boulangerie*«, sagte die Dunkelhaarige. Die war echt schön. Und guckte mich an. *Huargh.*

»Danke«, brachte ich heraus.

Karli stand immer noch stumm da. Seine Ohren hatten mittlerweile die Leuchtkraft einer roten Ampel erreicht.

»Habt ihr keine Fahrräder?«, fragte die Blonde. »Zu Fuß dauert das noch ewig!«

»Nö«, sagte ich. »Wir laufen lieber.«

»Tja«, sagte die Dunkelhaarige mit dem Pferdeschwanz. »Pech für euch!«

Beide kicherten albern. Die mit dem Pferdeschwanz stieg wieder auf ihr Rad.

»Komm«, sagte sie zu der Blonden, »ich hab mächtig Kohldampf.«

»Genau«, sagte die. »Wir fahren jetzt schön frühstücken. Tschüs! Und viel Spaß noch!«

Sie kicherten wieder.

Und weg waren sie.

Karli sagte immer noch nichts und schaute den beiden nach.

»Wow«, sagte ich.

Endlich drehte Karli sich wieder um.

»Du hast sie angesprochen«, sagte er.

»Musste ich ja«, sagte ich. »Du hast nur rumgestanden und komisch geguckt!«

»Ich kann doch nicht mit denen reden«, sagte Karli. »Die lachen sich schief, wenn sie meine piepsige Stimme hören!«

»Ach was«, sagte ich. »Und wenn schon, lass sie doch. Die sehen wir eh nie wieder.«

»Trotzdem«, sagte Karli. »Du warst echt cool.«

Das klang ganz nach meinem Geschmack.

Die nächsten paar Meter schwebte ich über dem Boden.

Es dauerte allerdings nicht lange, bis ich wieder auf den Boden zurückkam.

»Wohin müssen wir jetzt noch mal?«, fragte Karli, als wir in den Ort kamen.

»Äh, Moment«, sagte ich und überlegte.

Wir dachten angestrengt nach.

Leider konnten wir uns aber absolut nicht mehr an alles erinnern, was die Mädchen uns erklärt hatten. Wir hatten sie so fasziniert angestarrt, dass wir ihnen nicht richtig zugehört hatten. Wir mussten also ein paar Straßen ablaufen, bis wir endlich vor der Bäckerei standen.

Mittlerweile war es auch ganz schön spät geworden. Wir waren gegen neun losgelaufen, und als wir uns auf den Rückweg machten, war es schon Viertel vor zehn.

Immerhin hatte es beim Einkaufen keine Probleme gegeben. In der Bäckerei hatten wir auf alles, was wir haben wollten, gezeigt und beim Bezahlen gemerkt, dass die Verkäuferin Deutsch konnte. Wir waren ja auch nicht so weit von der Grenze weg und hier am See haben eine Menge Deutsche ihr Grundstück. Im Supermarkt war es genauso einfach gewesen. Das viel größere Problem war, dass wir alles tragen mussten, und wir hatten immerhin zwei große Tüten voll.

Voll mit leckerem Essen.

Ich schaute hinein.

Die Würstchen schauten zurück.

Nur eins, dachte ich. Ich musste wohl laut gedacht haben, denn Karli sagte sofort: »Au ja.«

Ich fühlte mich gleich viel besser, als wir die Würstchen verdrückt hatten. Ein schlechtes Gewissen hatte ich auch nicht. Wir hatten sie uns schließlich verdient.

Als wir endlich wieder auf unserem Grundstück ankamen, waren wir völlig erledigt.

»Ah«, sagte Papa, der es mittlerweile geschafft hatte, die Freiluftdusche, die in einer Ecke des Grundstücks stand, zum Laufen zu bringen. Er kühlte sich gerade fröhlich darunter ab. »Frühstück!«

»Wurde auch Zeit«, sagte Opa. »Ich dachte, ich verhungere!«

Er kicherte.

Ich fand das gar nicht lustig.

»Morgen könntet ihr ruhig ein bisschen früher losgehen«, rief Papa. Er schlang sich ein Handtuch um die Badehose und kam an den Tisch.

»Wie, morgen?«, piepste Karli. »Wechseln wir uns nicht wenigstens ab?«

»Nö«, sagte Papa. »Ein bisschen Bewegung schadet euch gar nicht!« Er nahm sich ein Brötchen aus der Tüte. »Außerdem habe ich den Tisch gedeckt, das ist doch auch schon was, nicht wahr?« Er pfiff durch die Zähne und griff nach der Butter.

Das war ja nicht zu fassen!

»Ich bin völlig erledigt!«, sagte ich.

»Ein Grund mehr, ein bisschen zu trainieren«, sagte Papa und kaute. »Ihr könnt nach dem Frühstück gleich weitermachen. Die Wiese müsste gemäht werden.«

Karli und ich sahen uns an.

»Wir wollen an den See«, sagte ich.

»Könnt ihr, könnt ihr«, sagte Papa. »Ich glaube fast, wenn ihr gemäht habt, müsst ihr ohnehin ins Wasser. So heiß, wie es ist. Zur Belohnung bekommt ihr auch eine von euren Computerzeitschriften.«

Tja, was soll ich sagen. Wir waren kaputt, aber wir wollten unsere Computerzeitschrift. Also legten wir los.

Ich weiß nicht, ob ihr schon mal eine struppige hohe Wiese gemäht habt. Der Rasenmäher war störrisch wie ein Esel und blieb immer wieder stecken. Karli und ich waren noch keine halbe Stunde zugange, da hingen wir schon keuchend in der Ecke. Die Sonne brannte sich einem förmlich in den Kopf, so heiß war es. Wir hatten unsere T-Shirts längst ausgezogen und mein Rücken fühlte sich an wie eine glühende Bratpfanne.

»Ich kann nicht mehr«, japste ich.

»Ich will auch nicht mehr«, sagte Karli. »Aber wir müssen weitermachen, sonst können wir den Nachmittag am See haken.«

Er schaute missmutig auf die Hälfte der Wiese, die noch genauso struppig aussah wie bei unserer Ankunft.

»Ich *kann* aber nicht mehr«, sagte ich.

Karli seufzte.

»Du kannst das Kabel tragen«, sagte er. »Ich mähe.«

Papa und Opa saßen ungerührt in ihren Stühlen und lasen.

»Die beiden sind sich so einig wie sonst nie«, sagte ich.

»Worüber sollten sie auch streiten«, sagte Karli. »Sie haben ja nur ein Fernsehprogramm: zwei Deppen, die eine Wiese mähen und dabei unglaublich uncool sind.«

Als wir endlich fertig waren, hätte ich schwören können, wir hätten das ganze Gelände um den See gemäht, so erledigt war ich. Mir taten alle Knochen weh. Karli kroch mehr, als dass er ging.

»Na, ihr beiden«, sagte Papa, als wir zum Gartentisch zurückkehrten und uns jeder eine Flasche Wasser an den Hals hängten. »Ihr wart ja wirklich fleißig. Dafür gibt es heute Abend Würstchen!« Er wedelte mit einer Grillzange vor unseren Nasen herum.

Vielleicht hatte Papa erwartet, dass wir ein Freudengeheul anstimmen würden, aber das taten wir nicht. Wir waren sauer und erledigt und packten unser Zeug zusammen, um an den See zu gehen.

Und dort erwartete uns die Überraschung des Jahrhunderts.

... 10: Planänderung

Karli und ich suchten uns ein abgelegenes Plätzchen hinter ein paar Büschen. Von dort aus konnten wir das Treiben am Strand beobachten, aber man konnte uns nicht sehen. Ich hatte nämlich keine Lust, so beleibt, unsportlich und mit Sonnenbrand unten am Strand zu liegen wie auf einem Präsentierteller. Wir hatten das Fernglas mitgebracht, das in Opas Pfadfindertasche gelegen hatte. So was konnte man ja eigentlich immer gebrauchen. Als wir ankamen, war noch nicht viel los, und wir gaben das Beobachten bald auf. Wir unterhielten uns und blätterten in der Computerzeitschrift. Ohne gleich losspielen zu können, war es aber nicht das Gleiche. Unsere Nintendos hatte ja immer noch Papa.

»Toll«, sagte Karli und verzog das Gesicht. »Um *den* Urlaub würden uns die FabFive sicher beneiden. Wir sind dabei, echt coole Jungs zu werden.« Er spuckte ins Gras.

»Und wie«, sagte ich. »Mit Papa und Opa am See, Büchern über Tierspuren und ohne alle absolut lebensnotwendigen elektronischen Geräte. Dagegen kommt Lucas nicht an. Der steht nur auf 'nem Surfbrett in der Südsee und lässt sich von hübschen Mädchen anglotzen.«

»Tja«, sagte Karli. »Lucas geht heute Abend bestimmt mit seinen Eltern in ein piekfeines Restaurant. Und wir müssen gleich mit deinem Papa und deinem Opa knorpelige Würstchen essen.«

»Das werden die langweiligsten drei Wochen unseres Lebens«, seufzte ich.

Aber Karli hörte mir nicht zu. Er starrte zum Strand, wo es mittlerweile ordentlich voll geworden war. Es war jetzt kurz nach drei und richtig heiß. Da wollte jeder schwimmen. Karli schnappte sich das Fernglas und schaute zum Ufer. Auf einmal richtete er sich kerzengerade auf.

»Ich glaub, ich spinne«, sagte er. »Kneif mich mal.«

»Was ist denn?«, fragte ich.

»Da vorne«, piepste Karli aufgeregt. »Da, guck doch!«

Er reichte mir das Fernglas.

Ich hielt es vor die Augen und schaute in die Richtung, in die Karli zeigte.

Zuerst sah ich nur einen verschwommenen bunten Fleck. Ich drehte so lange, bis das Bild klar wurde. Das Fernglas war gut, man hatte fast das Gefühl, selbst unten am Strand zu sein.

Jetzt konnte ich eine Frau erkennen, die mit ihren unheimlich vielen kleinen Locken aussah wie ein überdimensional großer Pudel. Daneben stand ein ziemlich großer Mann, der einen mächtigen Sonnenbrand hatte und ein weißes Unterhemd trug, aus dem ein paar dunkle Brusthaare quollen. Und daneben, mit zwei Strandmatten unter dem Arm, stand ein Junge mit blonder Surferfrisur. Er war so ungefähr in unserem Alter und trug bunte Klamotten mit dem Aufdruck einer angesagten Surferfirma. Das T-Shirt kam mir irgendwie bekannt vor …

Und dann drehte er sich um.

»Ach du Scheiße!«, murmelte ich.

»Das ist Lucas!«, quietschte Karli.

Karli hatte recht. Es war Lucas, und er trug das T-Shirt, das ich vor ein paar Tagen noch selbst angehabt hatte, am letzten Schultag.

»Aber was macht der denn hier?«, piepste Karli und sah mich fassungslos an. »Der ist doch auf Bali?«

Ich ließ das Fernglas sinken.

Lucas war hier? Am Baggersee in Frankreich?

Ich war genauso perplex wie Karli.

Wir starrten uns mit offenen Mündern an.

»Was machen wir jetzt?«, fragte Karli.

»Keine Ahnung«, sagte ich. »Jedenfalls habe ich keine Lust, von Lucas entdeckt zu werden.«

»Frag mich mal«, sagte Karli. »So ein Mist aber auch! Der ist doch stinkesauer auf uns. Wir müssen echt aufpassen, dass er uns nicht sieht.«

Zum Glück lagen wir weit genug vom Strand entfernt, hinter den Büschen. Jemand, der uns hier nicht vermutete, würde uns auch nicht sehen.

»Mann, das ist doch echt nicht zu fassen!«, schimpfte Karli und schlug die Plastikflasche mit Orangensaft auf den Boden.

»Jetzt müssen wir uns sogar hier vor dem Blödmann verstecken! Wer hätte denn ahnen können, dass der uns in Frankreich über den Weg laufen würde?«

Während Karli wütend vor sich hin redete, arbeitete irgendwas in meinem Kopf. Ich hatte Angst, das stand fest. Aber da war noch etwas anderes. Ich hatte einfach keine Lust, mich schon wieder vor Lucas zu verstecken. Sollte das denn ewig so weitergehen? Und auf einmal fiel mir etwas ein. Dass ich darauf nicht gleich gekommen war!

»Warte mal«, sagte ich. »Wir *brauchen* uns vor Lucas nicht zu verstecken!«

»Ach nein?«, sagte Karli. Er hatte den ersten Schock wohl überwunden, seine Stimme war jedenfalls nicht mehr quietschig.

»Nein!«, rief ich. »Überleg doch mal! Was soll er denn schon groß machen? Die anderen Fabs sind ja wohl nicht hier. Der kann uns doch gar nichts anhaben! Selbst wenn er uns sieht, na und? Wir sind zu zweit und er ist allein!«

Karli kratzte sich am Kopf. »Da ist was dran«, sagte er langsam. »Du hast recht. Was soll er denn hier schon machen?«

»Jap«, sagte ich zufrieden.

Karli sah hinunter zum Strand. Lucas war gerade dabei, seiner Mutter den Rücken einzucremen.

»Und das Beste ist«, sagte ich, »dass er jetzt eigentlich vor *uns* Angst haben muss! Wenn die Fabs wüssten, dass er gar nicht auf Bali ist und einen tollen Surfurlaub hat, sondern seine Ferien auf einem Campingplatz verbringt und seiner Mama den Rücken eincremt, dann hätte er selbst nichts zu lachen.«

»Ja, *wenn* sie das wüssten!«, sagte Karli »Tun sie aber nicht. *Die* sind ja nicht hier. Nur *wir*.«

»Wir könnten aber dafür sorgen, dass sie es erfahren«, sagte ich. »Wir könnten Beweisfotos machen, mit Papas Fotoapparat. Und wenn Lucas nicht will, dass die jemand zu Gesicht bekommt, dann muss er versprechen, dass die Fabs uns in Zukunft in Ruhe lassen.«

»Genial!«, rief Karli. Seine Ohren leuchteten. »Wir erpressen Lucas!«

»Ja, so hab ich mir das gedacht!«, sagte ich zufrieden. Dieser Urlaub entwickelte sich in eine Richtung, die mir gefiel.

Wir berieten eine ganze Weile, bis wir den perfekten Plan ausgeheckt hatten.

Wir wollten Lucas einen Erpresserbrief schreiben, in dem stehen sollte, dass wir ihn gesehen hätten und an die Fabs verraten würden. Es sei denn, er versprach, dass die Fabs uns in Zukunft in Ruhe lassen würden.

»Genial«, sagte Karli. »Einfach genial! Wenn seine Fab-Gefolgschaft wüsste, dass Lucas gar keinen so tollen Urlaub macht und sein Vater gar nicht so viel Kohle hat, dann wollen die anderen ihn bestimmt nicht mehr als Anführer haben!«

»Genau«, sagte ich. »Das kann Lucas nicht riskieren. Der *muss* machen, was wir von ihm verlangen!«

Wir überlegten, wo und wie wir Lucas den Brief geben wollten:

Wir würden abwarten, bis wir Lucas wieder am Strand sahen, und eines der Kinder, die dort zu Dutzenden rumliefen, mit einem Zettel zu ihm schicken, auf dem wir ihn für den Abend an einen geheimen Ort bestellten. Dort würden wir den Brief deponieren und uns selbst in der Nähe verstecken. Wenn Lucas den Brief gelesen hatte, würden wir aus unseren Verstecken kommen, und er würde uns versprechen, alles so zu machen, wie wir es verlangten.

»Mann, das wird genial!«, quietschte Karli und wippte aufgeregt mit den Füßen.

Auf einmal machte es richtig Spaß, Lucas zuzusehen. Seine Mutter rieb ihm gerade Sonnencreme auf die Nase. »Der coolste Junge der Klasse lässt sich von Mami eincremen«, piepste Karli. Wir schmissen uns fast weg vor Lachen. Den ganzen Nachmittag lang beobachteten wir Lucas und seine Eltern. Es war aber ziemlich langweilig. Die Mutter las, der Vater döste und Lucas lag mit Kopfhörern in den Ohren und dem MP3-Player in der Hand auf seiner Matte. Es war noch nicht mal sechs Uhr, als sie begannen, ihre Sachen einzupacken.

»Wir könnten ihnen folgen«, sagte ich, »und herausfinden, wo ihr Grundstück ist.«

»Au ja«, sagte Karli. Wir warteten also, bis Lucas und seine Eltern loszogen, und folgten ihnen mit einigem Abstand.

»Hoffentlich wohnt er nicht zu nah an unserem Grundstück«, sagte Karli. »Ich habe nicht die geringste Lust, dem Trottel schon morgens beim Brötchenholen über den Weg zu laufen.«

»Stimmt«, sagte ich. »Da kann man nur hoffen, dass der Campingplatz so groß ist, dass man sich hier nicht alle fünf Minuten über den Haufen rennt!« Ich schüttelte mich.

Wir liefen eine ganze Weile hinter Lucas und seinen Eltern her, aber schließlich merkten wir, dass es ziemlich umsonst gewesen war. Die drei steuerten nämlich auf das platzeigene Restaurant zu.

»Die wollen *so* essen gehen?«, wunderte sich Karli.

So hatten wir es uns nicht vorgestellt, als Lucas in der Schule von den vielen tollen Restaurantbesuchen gesprochen hatte, die im Urlaub immer auf dem Programm standen. Ich hatte immer eine schick angezogene Mutter und einen Vater im Anzug vor Augen gehabt, der dem Kellner lässig einen gefalteten Geldschein zuschiebt.

Stattdessen würden gleich eine unfrisierte Mutter und ein schwitzender Vater, dem die Brusthaare über das fleckige Unterhemd quollen, in einem ganz und gar nicht vornehmen Restaurant auf dem Campingplatz zu Abend essen.

Karli und ich schlichen uns an den Zaun, der das Restaurant vom Rest des Platzes abtrennte, und schauten zwischen den Holzpfählen und Efeuranken auf die Ecke, in der die drei an einem wackeligen Plastiktisch Platz nahmen.

Leider konnten wir nicht hören, was sie sagten. Aber viel Spaß hatten sie nicht. Die Mutter blätterte lustlos in ihrer Speisekarte und Lucas' Vater schnauzte Lucas wegen irgendwas an.

»Was für eine miese Laune die haben«, sagte Karli und schüttelte den Kopf. »Und das im Urlaub!«

Das konnte ich auch nicht verstehen. Selbst Papa war nicht so mies drauf, und der hätte nun wirklich Grund gehabt, wo Mama doch nicht dabei war.

Karli und ich beschlossen zu gehen. Wir hatten keine Lust, hier stundenlang zu versauern und uns die schlecht gelaunten Gesichter unseres Erzfeindes und seiner Eltern anzusehen.

Jetzt freute ich mich richtig auf Papa und Opa und die knorpeligen Würstchen. Wer hätte das gedacht!

... 9: Currywurstarme

Als ich am nächsten Morgen aufwachte, brannten meine Arme und meine Beine und der Rücken auch.
»Wie siehst *du* denn aus?«, quietschte Karli.
Ich war rot wie ein Feuerlöscher.
»Jesses«, sagte Papa und riss die Augen auf, als ich aus dem Wohnwagen stieg. »Was ist denn mit dir passiert?«
Dann schluckte er und sagte: »Oh!«
»Was, *oh*?«, fragte ich.
»Susanne hat gesagt, ich soll darauf achten, dass du dich eincremst«, sagte Papa und schaute sehr zerknirscht.
»Na danke«, sagte ich. »Ist das jetzt nicht ein bisschen zu spät?«
Ich besah meine Arme. Sie leuchteten wie Currywürste frisch vom Grill. Und so fühlten sie sich auch an.
»Tut mir leid«, sagte Papa und schnappte sich eine Flasche Sonnenmilch. »Mach das drauf. Das kühlt.«
Papa hatte sogar ein so schlechtes Gewissen, dass er freiwillig Brötchen holen ging.
Das war mir eigentlich sehr recht. Ich hätte zwar schon gerne die Mädchen wiedergesehen. Aber die würden Karli und mich ja ohnehin nicht angucken.
Wir beschlossen, nach dem Frühstück Lucas' Grundstück zu suchen. Allerdings hatte Papa andere Pläne mit uns.

Als er mit den Brötchen zurückkam, war von seinem schlechten Gewissen nicht mehr viel zu merken.

»Du ziehst heute am besten ein T-Shirt mit langen Ärmeln an und cremst dich gut ein, wenn ihr die Hecke schneidet«, sagte er. *Die Hecke schneiden?*

»Na«, sagte Papa. »Es ist gerade mal neun Uhr und vor elf wird es doch nicht richtig warm. Also, ein bisschen was könnt ihr schon machen, wenn ihr demnächst eure Nintendos haben wollt.«

Mir verschlug es die Sprache. Reden hätte aber sowieso nichts genützt. Bevor ich den Mund aufmachen konnte, hatte Opa uns schon riesige Heckenscheren in die Hände gedrückt.

Ich kam mir beinah vor wie Tom Sawyer, der Junge aus dem Buch von Mark Twain, den Tante Polly den Zaun vor ihrem Haus streichen lässt, während alle anderen Jungen am Fluss spielen. Nur dass Tom andere Jungen dazu bringen kann, die Arbeit für ihn zu machen. Hier waren weit und breit keine Jungen in Sicht, die aussahen, als könnte man sie mit irgendetwas dazu kriegen, eine Hecke zu schneiden, statt im See zu baden. So was konnte auch nur uns passieren!

»Alle anderen gehen gleich zum See und wir müssen malochen!«, schimpfte Karli.

»Statt zu schauen, wo Lucas wohnt. Oder am See zu liegen. Unfassbar!«, sagte ich.

Die Hecke war aber auch besonders biestig. Überall standen kleine Zweige heraus, die wegen des Regens, der kurz vor unserer Ankunft alles aufgeweicht hatte, enorm schwer zu schneiden waren. Es dauerte nicht lange, bis unsere Arme aussahen, als hätten wir geübt, im Handstand durch Glasscherben zu laufen. Und auf einem Höllensonnenbrand tut das ganz besonders gut. Wir waren mächtig schlecht gelaunt. Die ganze Zeit über liefen Leute in bester Stimmung an uns vorbei in Richtung See. Sie hatten Matratzen unter den Armen und Picknickkörbe. Manche trugen sogar schon ihre Badekleidung.

»Es ist zum Mäusemelken!«, rief Karli.

»Wenn meine Eltern und deine Mutter wüssten, warum wir in dieses blöde Freibad eingebrochen sind, wären sie vielleicht nicht ganz so sauer auf uns und wir müssten hier nicht wie die Sklaven schuften«, sagte ich.

»Vergiss es«, sagte Karli. »Ich mach mich vor denen nicht zum Deppen.«

Wir hatten uns fest vorgenommen, niemandem den wahren Grund für unseren nächtlichen Ausflug zu erzählen. Keiner sollte wissen, dass das die Rache für die vielen Gemeinheiten war, die Karli und ich in der Schule abbekommen hatten. Vielleicht hätten unsere Eltern uns sogar verstanden, aber höchstwahrscheinlich hätten sie Mitleid mit uns gehabt, und das war das Allerschlimmste, was ich mir vorstellen konnte.

Karli befürchtete, seine Mutter würde sagen, seine Ohren seien doch schön, er müsse stolz darauf sein, etwas Besonderes zu haben. Und die piepsige Stimme sei nur so eine Phase und ein richtig nettes Mädchen interessiere sich sowieso nicht für solche Typen wie Lucas. So einen Kram erzählt sie nämlich immer ihren Patienten, weil die sich sonst umbringen wollen.

Und wie meine Mutter reagieren würde, konnte ich mir lebhaft vorstellen. Wahrscheinlich würde sie so was sagen wie: Ich habe dir ja gesagt, dass du dich mehr bewegen musst und nicht nur zu Hause am Computer sitzen, und die Brille ist doch topmodern! Sie würde am Ende wahrscheinlich noch Opa und Papa und höchstwahrscheinlich sogar Rosi die Schuld daran geben, dass ich mit mir nicht zufrieden war.

Nein danke, dann hörten Karli und ich uns lieber an, dass wir missratene Bengel seien, die ruhig mal eine Hecke stutzen könnten. Und wir würden uns was einfallen lassen, wie wir um dieses dämliche Pfadfinderbeschäftigungsprogramm herumkommen konnten.

Ich betrachtete unsere Arbeit. Die Hecke war schon zu fast drei Vierteln fertig geschnitten.

»Komm, wir machen eine Pause«, sagte Karli.

Ich war mehr als einverstanden. Wir wollten uns gerade auf den Boden setzen und uns ausruhen, als ich zwei Mädchen sah, eine mit langen blonden Haaren und eine Dunkelhaarige mit Pferdeschwanz. Sie kamen den Schotterweg entlang, gerade auf uns zu!

»Hey«, rief ich und schubste Karli an. »Guck mal, wer da kommt!«

Karli wurde blass. Nur seine Ohren leuchteten unter den Haarbüscheln hervor.

»Scheiße«, sagte Karli. »So, wie wir aussehen!«

Unsere Arme waren so verkratzt, dass meine jetzt aussahen wie Grillcurrywürste, in die jemand herzhaft mit einer Gabel hineingestochen hatte, und Karlis, als wäre eine wild gewordene Katzenhorde über ihn hergefallen. Und auf seiner Nasenspitze hatte er einen Sonnenbrand.

»Oh Mann«, sagte ich. »Wir sind so was von uncool! Warte mal … so!«

Ich lehnte mich lässig an die Hecke.

Karli machte es mir nach.

Da schlenderten die Mädchen auch schon heran.

»Hi«, sagte die Blonde.

»Hi«, sagte die Dunkelhaarige.

»Hi«, sagten Karli und ich gleichzeitig.

»Und, habt ihr eure Brötchen bekommen?«, fragte die Blonde.

»Mmmmh«, murmelte Karli und nickte.

»Und ihr?«, fragte ich. »Ihr geht wohl an den See?«

»Ja«, sagte die Dunkelhaarige. »Tschüs dann.«

Und schon waren sie wieder weg.

»Die haben mit uns geredet«, quietschte Karli.

Ich konnte es auch nicht fassen.

»Gib mir fünf«, sagte ich und hielt Karli die Hand hin. Der schlug ein und strahlte.

»Ich hab was gesagt!«, rief er.

»Du hast *Mmmmh* gemacht«, sagte ich. »Aber immerhin.«

Wir grinsten vor uns hin. Auf einmal ging das Heckeschneiden viel leichter.

»Vorsicht«, zischte Karli plötzlich. »Die kommen zurück!«

Wir versuchten, möglichst lässig zu schneiden. Karli warf den Kopf zurück, damit die Haare aus der Stirn fielen, wie Lucas es manchmal tat.

»Äh, hi noch mal«, sagte die Dunkelhaarige. »Wir wollten euch was fragen.«

»Klar«, sagte ich und guckte gelangweilt. »Kein Problem. Was gibt's denn?«

»Ihr kennt euch doch bestimmt mit Computerspielen aus, oder?«

»Logisch«, sagte Karli lässig. Ich hörte, dass er seine Stimme ein bisschen verstellte.

»Siehste«, sagte die Dunkelhaarige zu der Blonden. »Ich hab's dir doch gesagt!«

»Cool«, sagte die Blonde. »Vielleicht könnt ihr uns sagen, wie man bei *Feast of the Dragon* ins achte Level kommt?«

»Ihr spielt *Feast of the Dragon*?«, fragte ich.

Das erstaunte mich doch sehr. Das ist ein echtes Jungsspiel.

»Äh, ja«, sagte die Dunkelhaarige.

»Äh, nein«, sagte die Blonde im selben Moment.

Die Dunkelhaarige stupste sie an.

»Wenn ihr es nicht spielt, wieso wollt ihr es dann wissen?«, fragte ich.

Ich vergaß glatt, mit wem ich da redete. *Feast of the Dragon* ist nämlich ein super Spiel, da kenne ich mich gut aus. Bin da schon im vierzehnten Level.

Die Dunkelhaarige seufzte. Dann sagte sie: »Ach, unsere blöden Brüder haben gesagt, wir finden das nie raus. Wir haben gewettet, dass wir das doch schaffen. Dann müssen sie nämlich eine Woche lang an unserer Stelle spülen!«

Die Mädchen kicherten.

»Ah«, sagte ich. Es hätte mich auch gewundert, wenn sie *Feast of the Dragon* spielten. Aber das mit der Wette war nicht schlecht. Irgendwas fing in meinem Kopf an zu rattern.

Jetzt begann Karli zu reden. Er spielt *Feast of the Dragon* genauso gern wie ich.

»Also«, sagte er. »Ihr müsst nur …«

Und auf einmal hatte ich eine super Idee. Wie Tom Sawyer.

Ich stupste Karli an.

»Warte«, sagte ich. Und zu der Dunkelhaarigen sagte ich: »Wir können euch helfen. Aber nur, wenn ihr uns auch einen Gefallen tut!«

Karli guckte mich an, als ob ich gerade aus einer fliegenden Untertasse gestiegen wäre.

»Und was ist das für ein Gefallen?«, fragte die Dunkelhaarige misstrauisch.

»Na, wie ihr seht, sind wir hier zu ein bisschen Arbeit verdonnert worden. Und außerdem müssen wir jeden Morgen die Brötchen holen.«

Sie grinste. Offensichtlich kannte sie das.

»Ihr fahrt doch jeden Morgen mit dem Fahrrad zum Bäcker, oder?«

Die beiden nickten.

»Also: Wir sagen euch, wie ihr ins achte Level kommt, wenn ihr uns immer unsere Brötchen mitbringt. Na, wär das was?«

Die beiden Mädchen sahen sich an und überlegten.

»Ihr könnt aber auch gern jeden Tag spülen«, sagte ich.

Da hörten sie auf mit Überlegen.

»Okay«, sagte die Blonde. »Deal!«

»Cool!«, sagte ich.

»Ich heiße übrigens Luna«, sagte die Dunkelhaarige.

»Ich bin Stella«, sagte die Blonde.

»Ich heiße Martin«, sagte ich.

Karli schluckte.

»Und das ist mein bester Freund Karli«, sagte ich schnell und deutete auf ihn. »Er hat sich beim Essen die Zunge verbrannt und deswegen redet er gerade nicht so viel.«

»Und du?«, sagte Luna. »Woran hast du dich verbrannt?«

Sie guckte auf meine Currywurstarme.

Jetzt wurde ich auch im Gesicht rot.

Luna grinste.

»Wie funktioniert das denn jetzt mit dem Level?«, fragte Stella.

Das war nun meine leichteste Übung. Ich erklärte den beiden, was sie machen mussten.

»Cool«, jubelte Luna. »Ich wusste, dass ihr uns helfen könnt!«

»Woher wusstest du das denn?«, fragte ich.

»Och«, sagte Luna. »War ganz leicht. Ihr seht doch aus wie die typischen Computerfreaks.«

Zack.

»Wir gehen dann mal«, sagte sie. »Ihr könnt uns ja das Brötchengeld hier hinlegen.« Sie deutete auf eine kleine Einbuchtung am unteren Rand der Hecke. »Und wir legen die Tüte dann später da hin. Und danke noch mal.«

161

»Kein Problem«, sagte ich.

Die Mädchen machten sich auf in Richtung See.

»Wow«, sagte Karli, als sie außer Hörweite waren. »Das war mal ein cooler Einfall von dir!«

»So sehen wir sie jeden Tag«, sagte ich zufrieden. »Nenn mich den Mädchenknacker!«

»Ehrlich«, sagte Karli. »Du machst dich nicht schlecht.«

»Aber wir haben ein Problem«, sagte ich.

»Hm?«, fragte Karli, der immer noch Stella hinterhersah.

»Die haben gesagt, wir sehen aus wie die typischen Computerfreaks. Glaubst du etwa, die würden so was über einen der FabFive sagen?«

»Scheiße«, sagte Karli. »Du hast recht!«

»Die halten uns für komische Sonderlinge«, sagte ich, »nicht für coole Typen!«

Wir sahen uns an.

»Da muss was passieren«, sagte ich.

»Auf jeden Fall«, sagte Karli.

... 8: Hoch auf dem gelben Wagen

Am Morgen von Tag Nummer drei, als ich gerade die Augen aufmachte, fuchtelte Opa mir mit seinem Stock vor der Nase herum.

»Früher Vogel fängt den Wurm«, rief er. »Auf, auf!«

»Kann nicht jemand mal deinen Opa einfangen?«, brummelte Karli und gähnte.

Opa und Papa glaubten ja, dass wir jeden Morgen brav die Brötchen holen gingen. Sie hatten keine Ahnung von unserem großartigen Deal mit den Mädchen. Das hätte selbst Tom Sawyer nicht besser hinbekommen.

»Hier kommt schon mal eure neue Aufgabe!«, brüllte Opa und wedelte mit einem kleinen Buch herum. Ich konnte mich erinnern, es in der Tasche gesehen zu haben.

Es war die *Mundorgel*. Das ist so ein Liederbuch mit komischen Wanderliedern und all solchem Zeugs.

»Ihr hört doch immer so einen Krach zu Hause«, sagte Opa. »Macht doch mal selber was!«

Ich hatte keine Ahnung, was er wollte. Meine Arme und mein Rücken taten noch ein bisschen weh. Allerdings sahen sie nicht mehr ganz so nach Currywurst aus, sondern eher nach Armen in rosa Mädchenstrümpfen.

»Hier!«, sagte Opa. Er drückte mir das Buch in die Hand.

Wie ich erwartet hatte, waren da nur komische Lieder drin. *Der Jäger aus Kurpfalz* und *Hoch auf dem gelben Wagen* und all so was. Bevor ich was sagen konnte, sah ich Sternchen.

»Entschuldigung«, rief Opa und drückte Karli etwas in die Hand. Ich konnte vor lauter Sternchen erst mal nicht erkennen, was es war, aber auf alle Fälle war es groß, und Opa hatte es mir gerade an den Kopf gehauen.

»Cool!«, rief Karli.

Die Sternchen verschwanden, und ich sah, dass er eine Gitarre in den Händen hielt.

»Hier, meine alte Gitarre«, sagte Opa.

»Was sollen wir denn damit?«, fragte ich.

»Na«, sagte Opa. »Ihr lernt schön ein paar Lieder auswendig. Und ihr lernt, wie man sie auf der Gitarre spielt. Und wenn ihr das könnt, kriegt ihr eure komische winzige Musikbox zurück!«

Er meinte wohl den MP3-Player.

»Ich kann nicht Gitarre spielen«, sagte ich. »Und Karli auch nicht.«

»Na, dann wird es Zeit, dass ihr es lernt«, sagte Opa vergnügt und schubste mir mit seinem Stock die Tasche hin. »*Da* steht drin, wie.«

Ich fand ein Buch mit dem Titel *Gitarrengriffe für Anfänger.*

Na, das konnte ja ein Spaß werden!

»Ist doch cool«, sagte Karli und strahlte.

»Du kannst singen«, sagte ich. »Aber ich kann nicht Gitarre spielen. Ich habe Wurstfinger!«

»Ach was«, sagte Karli. »Das kriegen wir hin!«

Tja, und so haben wir schnell das *Mundorgel*-Buch einge-steckt und sind losgegangen, zum »Brötchenholen«.
Wir hatten uns vorgenommen, in der Brötchenholzeit das Gelände zu erkunden. Vielleicht gab es ja irgendwo einen Ort, an dem Karli und ich unbeobachtet üben konnten, cool zu sein, ohne dass der ganze Campingplatz dabei zusah.
Ein ruhiges Plätzchen war allerdings gar nicht so einfach zu finden. Die Grundstücke waren alle nur durch schmale He-cken oder Schotterwege voneinander getrennt. Nirgends gab es eine große Wiese oder so was.
»Vielleicht dahinten lang?«, schlug ich vor und deutete mit meinem rosa Mädchenstrumpfarm nach rechts. In der Ecke waren wir noch nicht gewesen. Vielleicht fanden wir ja auch zufällig heraus, wo Lucas wohnte?
»Sein Vater hat bestimmt das teuerste Auto auf dem ganzen Platz«, meinte Karli.
Das konnte sein, immerhin gehörte ihm ein Autohaus. Viel-leicht hatten sie sogar ein eigenes Wohnmobil? Trotzdem wunderte es mich, dass Lucas und seine Familie hier Urlaub machten. Wo doch sein Vater so viel Geld verdiente.
Wir schlenderten also langsam durch die Grundstückreihen und schauten durch die Tore, als wir von irgendwoher laute Musik hörten.
Rockmusik.
Wir blieben stehen.
»Cool«, sagte Karli. »Das ist AC/DC!«
Wir suchten den Platz, wo die Musik herkam, und linsten durch die Hecke.
Auf dem Grundstück standen zwei große Wohnmobile. Eines

war blau und über und über bemalt mit Sonnen, Monden und Sternen. Das andere war noch etwas größer und sah ziemlich ramponiert aus. An der Seite des Grundstücks stand ein uralter kleiner Wohnwagen, der übersät war mit Aufklebern von Bands. *Coolen* Bands. Rockbands.

Auf der Wiese herrschte ein heilloses Durcheinander. Überall lagen Bälle und Tennisschläger und Turnschuhe herum, dazwischen standen Farbtöpfe und durch das ganze Zeugs jagte ein goldbrauner Hund mit lautem Gebell einen schwarz-weißen Kater. Das Gebell war fast so laut wie die Rockmusik, die von dem kleinen Wohnwagen herkam. Und vor diesem Wohnwagen spielte ein Junge elektrische Gitarre.

Ein *cooler* Junge spielte Gitarre. Er war bestimmt schon fünfzehn, hatte braune Haare, die ihm lässig in die Stirn fielen, und die Augen geschlossen. Er spielte so gut, dass Karli und mir fast die Luft wegblieb. Und laut spielte er auch. Er hatte die Gitarre an einen kleinen Verstärker angeschlossen. Es war ein Rockgitarrensolo.

»Mann«, sagte Karli und guckte sehnsüchtig auf die Gitarre. »Wie der spielt!«

»Wahnsinn«, sagte ich. »Der Hammer!«

Wir hörten so lange zu, bis eine Frau mit langen Haaren aus dem ramponierten Wohnmobil auftauchte, etwas von »Viel zu früh für so einen Krach« in Richtung Gitarre rief und der Junge seufzend aufstand. Er stöpselte das Kabel ab und spielte ohne Verstärker den Anfang einer Rockballade.

»Justus, hol schon mal die Zeitung rein!«, brüllte die Frau (sie war nicht viel leiser als die Gitarre) zu dem ramponierten Wohnmobil hinüber. Heraus kam ein Junge in unserem

Alter, der ziemlich schlecht gelaunt aussah und träge zum Tor
schlenderte. Dabei murmelte er etwas vor sich hin.

Karli und ich verzogen uns schnell um die Ecke.

»Mann«, sagte Karli, »*das* ist cool!«

»Das ist die einzig wahre Musik«, sagte ich. »Viel besser als
Hip-Hop.«

»Wem sagst du das!«, sagte Karli.

Hinter der nächsten Grundstückreihe fanden wir ein Loch im
Zaun, durch das man in ein Waldstück gelangte. Dort saßen
wir die nächste Stunde und versuchten, *Hoch auf dem gelben
Wagen* und *Auf de schwäbsche Eisebahne* zu singen.

»Ist das uncool!«, rief Karli.

Ich seufzte.

Murphy taucht auf und klaut meine Brille!!!

Der Tag war bisher ein ziemlich blöder Tag gewesen. Aber mittags wurde es noch schlimmer, denn da kam wieder mein ständiger Begleiter Murphy zu Besuch:

Die wichtigsten Dinge werden am schlimmsten schiefgehen.

Papa schlug vor, mit Karli und mir gemeinsam an den See zu gehen. Zuerst dachte ich, er hätte noch ein schlechtes Gewissen wegen meiner Currywurstmädchenstrumpfarme. Dann aber hörte ich, wie Opa Papa herumkommandierte, und eine Sekunde später erschien Papa und rollte die Augen.
»Wir gehen zum See«, sagte er. »Auf, auf, ihr beiden! Ich brauch eine Opapause. Unbedingt.«
Eigentlich fand ich die Idee erst mal ganz gut. Papa wollte uns Kopfsprung beibringen, und das war eindeutig etwas, das uns cooler machen würde. Und vielleicht sahen wir ja heute Lucas und konnten unsere Aktion in Angriff nehmen. Also quetschte ich mich, ohne zu murren, in meine grauenvolle Badehose. Sie ist kanarienvogelgelb und mein Bauch rollt sich ein bisschen darüber.
»Was ist *das* denn?«, rief Papa und zog die Augenbrauen hoch, als er mich in diesem Aufzug sah.

»Die hat Mama mir gekauft«, sagte ich.

»So sieht sie auch aus«, sagte Papa. »Das grenzt an Körperverletzung!«

Mama bringt Papa und mir immer irgendwelche Anziehsachen mit (*topmoderne* natürlich). Seit ich nur noch Schwarz anziehe, kauft sie umso mehr buntes Zeug für Papa. Einmal hat sie ihm ein neongelbes Hemd mitgebracht. Papa hat das Hemd mit spitzen Fingern von sich weggehalten. »Willst du, dass man mich mit einem Kanarienvogel verwechselt, in einen Käfig steckt und einer allein lebenden Oma zur Gesellschaft bringt?«, hat er gesagt. Mama war so eingeschnappt, dass sie eine Woche kein Wort mit ihm geredet hat. Seitdem hat Papa ihr nicht mehr widersprochen.

Es sah ganz so aus, als würde sich das jetzt ändern.

»Das sieht verboten aus«, sagte Papa. »Wir müssen schauen, dass wir für dich was Neues bekommen. Wir fahren in die Stadt!«

In diesem Moment hörten wir den Motor unseres Wagens starten, und als wir aus dem Wohnwagen rannten, sahen wir gerade noch unser Auto um die Ecke biegen. Offensichtlich machte Opa hier dasselbe wie zu Hause, wenn er beleidigt war: Er fuhr mit dem Auto davon. Nur, wohin er wollte, war mir nicht klar. Hier gab es ja niemanden, den er kannte, den er hätte besuchen können. Andererseits ist Opa alles andere als schüchtern, wahrscheinlich ging er in ein Café und las gemütlich Zeitung.

»Der kann was erleben, wenn er zurückkommt!«, brüllte Papa.

Vorerst aber konnte Papa nur den Wohnwagen anbrüllen,

denn Opa war weg. Jetzt wollte Papa unbedingt an den See. Er meinte, beim Sport kann man sich schön abreagieren. Ich musste mich noch mit einem ekligen Öl einreiben, damit ich ganz sicher keinen neuen Sonnenbrand bekommen würde, und dann marschierten wir zum See.

Dort begann die Katastrophe.

Im Strandbad, wo es ein Sprungbrett gibt, lagen zwei Mädchen auf ihren Liegematten. Luna und Stella.

Natürlich sahen sie uns sofort.

»Hallo!«, riefen sie und winkten.

Ich wäre vor Peinlichkeit fast gestorben.

Der See war so riesig, warum mussten die zwei weltschönsten Mädchen gerade hier herumliegen?

Hier kamen wir, die uncoolsten Jungs der Welt. Ich mit rosa Armen und neongelber Badehose, Karli mit rosa Nasenspitze, klapperdürr und Riesenohren. Und nebendran Papa.

»Hallo«, murmelte ich. Ich spürte, dass ich feuerrot wurde. Karli sagte gar nichts. Er räusperte sich nur.

»Woher kennt ihr *die* denn?«, fragte Papa erstaunt.

»Och«, murmelte ich. »Nur so. Vom Bäcker.«

»Aha«, sagte er. »Nette Mädchen.« Er winkte ihnen zu.

Oh nein. Hilfe.

Ich fand das alles äußerst peinlich, aber was danach kam, war der Super-GAU der Peinlichkeit. Papa zeigte mir, wie man Kopfsprung macht.

»So musst du es machen«, sagte Papa ziemlich laut. Er hielt die Arme über den Kopf und ging in die Knie.

»Nein, nicht *so*!«, rief er, als ich versuchte, es ihm nachzumachen. »Und dann schön fest abstoßen.«

»Nicht so laut«, sagte ich.

Ich sah, dass Luna und Stella in unsere Richtung guckten.

Ich hatte das unbestimmte Gefühl, dass Murphy ebenfalls da irgendwo stand und sich über mich kaputtlachte und feixte.

»So!«, rief Papa noch einmal. Dann stieß er sich ab und landete elegant im Wasser. Na ja, vielleicht nicht wirklich elegant, der Dünnste ist er ja auch nicht, aber der Kopfsprung sah doch ganz gekonnt aus.

Papa tauchte wieder auf und winkte mir zu.

»Jetzt du!«, brüllte er. »Keine Angst!«

»Ich *habe* keine Angst!«, brüllte ich zurück.

Ich konnte Lunas Blick auf meinem rosaroten Rücken spüren.

Jetzt musste ich springen, wenn ich nicht wie ein vollkommener Idiot aussehen wollte. Und außerdem würde man im Wasser wenigstens weder den rosaroten Rücken noch die kanariengelbe enge Badehose sehen.

Ich streckte die Arme so, wie Papa es mir gezeigt hatte, beugte mich vor und stieß mich mit den Füßen ab. Mitten in der Luft war ich mir aber nicht mehr so sicher, ob ich das alles richtig gemacht hatte, und bekam Panik, dass ich aussah wie ein rosaroter Klops. (Vielleicht wabbelte der Bauch beim Springen?) Ich zappelte und ruderte mit den Armen und dann klatschte ich ordentlich auf dem Bauch auf.

Huargh.

Ich sah zum zweiten Mal an diesem Tag Sternchen.

Das war aber auch das Einzige, was ich sah. Als ich wieder auftauchte, war meine Brille weg.

»Äh, in welche Richtung muss ich denn schwimmen?«, rief ich. »Meine Brille ist weg!«

»Hierher!«, rief Karli. Ich konnte zumindest etwas erkennen, das am Strand hoch- und runterhopste und mit den Armen ruderte und wie Karli klang.

Ich konnte mir gut ausmalen, wie Luna und Stella sich jetzt totlachten. Das war das Gute an der Sache mit der Brille: Ich musste wenigstens nicht mit ansehen, wie sich die Mädchen vor Lachen kringelten.

Bevor ich das Ufer sah, spürte ich es. Ich strandete wie ein Wal. Mein Bauch, der noch vom Aufplatscher wehtat, wurde jetzt schön von Sandkörnchen rasiert.

Ich hätte am liebsten gebrüllt vor Schmerzen, aber es war schon schlimm genug, uncool und unsportlich zu sein, da wollte ich nicht auch noch wie eine Heulsuse aussehen. Also trommelte ich nur vor Wut mit den Fäusten auf dem Boden herum und stellte mir vor, es wäre Murphy, den ich da bearbeitete.

Papa versuchte, mich zu trösten, und sagte, wir würden einfach weiterüben, bei ihm hätte es anfangs auch nicht funktioniert, aber ich hatte absolut keine Lust darauf, mich noch mehr zum Affen zu machen. Außerdem sah ich ohne Brille keine fünf Meter weit und so machten wir uns alle auf den Rückweg.

Im Wohnwagen suchte Papa nach meiner Ersatzbrille, merkte dann aber, dass er vergessen hatte, sie einzupacken.

»Wir müssen in die Stadt, eine neue Brille kaufen«, sagte er.

»Unbedingt«, sagte ich. »Ich bin blind wie ein Maulwurf.«

Opa war aber noch nicht zurück von seinem Ausflug. Je später es wurde, desto wütender wurde Papa, und als Opa endlich auftauchte, war es schon Abend und zu spät, um noch in die Stadt zu fahren. Papa und Opa hatten einen Riesenkrach, und Karli und ich ärgerten uns, dass wir den Plan mit Lucas heute nicht hatten in die Tat umsetzen können. Hoffentlich wurde der nächste Tag erfolgreicher!

... 7: Aus Ebermann wird Ochsenknecht

Am nächsten Morgen sah es aber erst mal nicht danach aus.
Als ich wach wurde, juckte alles noch schlimmer als am vergangenen Tag.
»Mann, hast du ein Glück, dass du dich im Moment nicht im Spiegel ansehen kannst«, sagte Karli.
Ich sah ja immer noch nicht viel, aber wie sehr meine Arme leuchteten, konnte ich auch ohne Brille erkennen.
Zum Glück konnte ich auch problemlos frühstücken. Wenn ich zu allem Übel noch nicht mal was hätte essen können, hätte ich *sehr* schlechte Laune bekommen.
Ich biss gerade in ein belegtes Brötchen, als Papa sagte: »Ich habe gestern übrigens diesen Lucas gesehen. Den aus deiner Klasse.«
»Ah«, sagte ich so unbeteiligt wie möglich. »Den du beim Klauen erwischt hast?«
»Genau den«, sagte Papa.
»Ihr habt noch mehr Kriminelle in der Klasse?«, fragte Opa neugierig. Papa rollte nur die Augen.
»Karli und ich haben ihn auch schon gesehen, am Strand«, sagte ich. »Wir haben uns gewundert, dass er hier ist. In der Klasse hat er erzählt, dass er mit seinen Eltern nach Bali fliegt.«

»Na, das werden sie sich dieses Jahr nicht haben leisten können«, sagte Papa und biss in sein Brot.

»Wieso das denn?«, fragte ich. »Lucas' Vater hat doch so viel Geld.«

»Na ja«, sagte Papa und kaute. »Nicht *mehr* … Sein Autohaus steht kurz vor der Insolvenz.«

»Insol*was*?«, fragte ich.

Karli und ich sahen uns an.

»Insolvenz«, sagte Papa. »Das heißt, er ist pleite.«

»*Pleite?*«, fragten Karli und ich gleichzeitig.

»Ja«, sagte Papa. »Keine Ahnung, ob sie das Autohaus noch retten können. Die Bergers werden sich im Moment keine Extras leisten können.«

Karli und ich sahen uns wieder an. Das erklärte einiges.

»Ist aber noch nicht offiziell«, sagte Papa. Ich weiß es nur von einem Arbeitskollegen. Der ist im selben Tennisklub wie die Bergers. Da hat er was läuten hören.«

Kein Wunder, dass Lucas' Eltern nicht sehr glücklich aussahen.

Nach dem Frühstück wollte Papa gleich mit mir in die Stadt fahren.

»Wir müssen zwar eine neue Brille kaufen«, sagte er und kratzte sich am Kopf, »aber ich glaube, zuerst müssen wir zu einem Hautarzt. Du hast dich doch gestern eingecremt! Ich verstehe das nicht. Na, wenigstens ist Mama nicht da. Sie würde mich vermutlich umbringen.«

Da wurde ich plötzlich wütend.

»Wenn Mama da wäre, wäre das gar nicht passiert!«, brüllte ich.

»Du vermisst sie doch gar nicht!«

Ich merkte erst jetzt, dass Mama mir tatsächlich fehlte. Sie ist manchmal ziemlich anstrengend, aber ohne Mama sind wir nur eine halbe Familie. Und es machte mich ganz schön sauer, dass Papa so ein Hasenfuß war und zu feige, das Rosi-Tattoo wegmachen zu lassen, aber mich und Karli herumkommandierte und schuften ließ, bis uns die Zunge auf den Boden hing.

»Doch«, sagte Papa. »Ich vermisse Susanne. Sogar sehr. Aber was ist sie denn auch so stur? Sie hat mich schließlich mit dem Rosi-Tattoo geheiratet und jetzt haut sie deswegen ab? Das verstehe ich nicht.«

»Vielleicht musst du das auch gar nicht verstehen!«, rief ich. »Mach es doch einfach, wenn ihr so viel daran liegt!«

Da war Papa eine Weile still. Er kaute an seiner Unterlippe.

»Vielleicht hast du recht«, sagte er schließlich. »Lass uns in die Stadt fahren.«

Das wurde dann allerdings eine größere Sache.

»Opa kann unter keinen Umständen allein hierbleiben«, sagte Papa. »Sonst finden wir nachher unsere gepackten Sachen am Ausgang und bekommen lebenslang Platzverbot.«

Also blieb Papa nichts anderes übrig, als Opa mitzunehmen. Opa war äußerst unternehmungslustig und kostete Papa eine Menge Nerven. Wir waren gerade ausgestiegen, und Papa fragte einen Taxifahrer, wo es ein Ärztehaus gab, als Opa ein paar Leute sah, die auf einem Platz gegenüber mit silbernen Kugeln warfen.

»Boule!«, rief Opa. »Die spielen Boule!«

Seine Stimme überschlug sich fast vor Begeisterung.

Bevor ich irgendwas sagen konnte, war Opa schon unterwegs. Natürlich schaute er vorher nicht nach rechts oder links, sondern er rannte einfach so über die Straße und fuchtelte dabei wild mit seinem Stock. Bremsen quietschten.

»Herrje, Vater«, brüllte Papa. »Du kannst doch nicht einfach loslaufen, wenn da Autos kommen!«

»Unverschämter Flegel!«, rief Opa und schüttelte die Faust in Richtung Autofahrer. »Ich habe doch meinen Stock geschwenkt!«

»Das ist ein *Gehstock*«, brüllte Papa, »keine Verkehrsampel!«

Der Autofahrer fuhr kopfschüttelnd weiter. Papa, Karli und ich folgten Opa über die Straße zu den Boulespielern.

Ein alter Mann, der eigentlich aussah, als wäre er zu schwach zum Laufen, schob gerade mit erstaunlichem Schwung eine silberne Kugel über den Boden. Irgendwo blieb sie liegen und alle riefen irgendwas auf Französisch.

»Nicht schlecht«, sagte Opa. Das Ziel des Spiels sei es, erklärte er uns, mit der eigenen silbernen Kugel näher als alle anderen an eine kleine Kugel heranzukommen, die in der Mitte lag.

Aha. Klang wahnsinnig interessant.

Zum Glück blieb uns ein längerer Vortrag über die Regeln erspart, denn Papa verlor die Geduld.

»Vater«, sagte Papa. »Wir haben noch einiges zu erledigen!«

»Geht nur«, sagte Opa. »Ich gucke hier ein bisschen zu, bis ihr fertig seid.«

Papa zögerte.

»Hier kann Opa weniger anstellen als unterwegs«, sagte ich.

»Stimmt«, sagte Papa. »Wenn die ihn mitspielen lassen, können sie sich auch mit ihm herumschlagen. Gute Idee.«

Karli blieb bei Opa, um auf ihn aufzupassen. Das war ein leichter Job. Opa wurde gerade mit großem Hallo in die Gruppe aufgenommen und Karli schlug die *Mundorgel* auf.

»Hier kann ich den Text üben«, sagte er. »Da sind keine hübschen Mädchen, vor denen man sich blamieren könnte.«

Also machten Papa und ich uns auf in die Innenstadt.

»Zuerst zum Augenarzt oder zum Hautarzt?«, fragte Papa. Ich war schon zweimal haarscharf einem Zusammenstoß mit einer Laterne entkommen. Da fiel die Wahl nicht schwer.

»Augenarzt«, entschied ich.

Papa betrachtete mich und seufzte.

»Dich hat es ja wirklich böse gebeutelt«, sagte er. »Und ich bin auch noch schuld. Ich meine, *ich* habe vergessen, deine Ersatzbrille einzupacken. Und irgendwie war das mit dem Sonnenöl wohl auch keine gute Idee.«

»Mama hätte das gewusst«, sagte ich.

»Vielleicht kann ich es ja wiedergutmachen«, sagte Papa. »Ich weiß auch schon, wie!«

Mehr wollte er aber nicht verraten.

Die Untersuchung ging schnell und war auch nicht anders als zu Hause. Ich las Zahlen und Buchstaben vor, der Arzt guckte durch ein Gerät auf das Auge, dann war ich fertig. Papa und der Arzt unterhielten sich auf Französisch, während ich mich kratzte.

Dann verschwand der Arzt hinter einer Tür. Ich hörte, wie er mit jemandem sprach.

»Ich habe dir doch gesagt, dass ich eine Überraschung für dich habe«, sagte Papa.

Ich nickte.

»So eine Brille ist ja wirklich unpraktisch, wenn man so dicke Gläser hat. Und mal ehrlich«, er grinste, »besonders schön war sie ja auch nicht. Da habe ich mir gedacht, wo ich doch so viel verbockt habe, ich meine, mit deinen Sonnenbrandblasen und der verlorenen Brille und Mama ist nicht da und alles, na ja, ich dachte, ich kaufe dir Kontaktlinsen. Was meinst du?«

Ich kratzte mich am Ohr. Hörte ich richtig?

Was ich meinte? Na, was sollte ich wohl meinen? Mein Papa war gerade zum coolsten Papa der Welt geworden! Obwohl er beleibt ist und ein Hasenfuß.

»Super!«, jubelte ich.

Da kam auch schon der Arzt zurück, mit einem Päckchen in der Hand. Nun musste ich üben, wie man die Linsen ins Auge setzt. Es dauerte eine Weile, aber der Arzt war geduldig. Ich konnte es kaum fassen, als er mir einen Spiegel hinhielt. Ich sah richtig cool aus (wenn man von den Blasen absah). Irgendwie ähnelte ich jemandem … vielleicht sah ich ohne Brille ein bisschen aus wie … genau, der eine Typ von den »Wilden Kerlen«, nur mit blauen Augen.

»Sieht gut aus«, sagte Papa. »*Todschick*, würde Mama sagen.«

Er zwinkerte mir zu.

Ich fühlte mich großartig.

Auf der Straße kamen uns eine Menge Leute entgegen. Keiner guckte doof. Und das Beste war: Eine Mutter ging mit ihrer Tochter vorbei und die guckte mich an. Ich schwöre, sie

guckte mich an, und nicht irgendwie komisch, sondern … anders als sonst, irgendwie … ja, genau. Bewundernd. *Jimi Blue*, dachte ich, *zieh dich warm an!*

Wir gingen dann noch in eine Hautarztpraxis.

Der Arzt war eigentlich eine Ärztin.

»Oh«, sagte sie mit französischem Akzent, als sie mich sah, und zog die Augenbrauen hoch. »Da hat jemand eine Sonnenallergie.«

Sie gab mir eine Creme und hielt Papa einen Vortrag darüber, wie man sich richtig vor der Sonne schützt und dass das mit dem Sonnenöl keine gute Idee gewesen war.

Die Ärztin betrachtete meine pusteligen Arme.

»Das muss ganz schön wehtun«, sagte sie mit einem vorwurfsvollen Blick auf Papa.

»Och nö«, sagte ich.

Ich war ein Junge mit coolen blauen Augen und kein Hasenfuß.

Papa sah mich an. Dann holte er tief Luft.

»Da wäre noch was«, sagte er und schaute die Ärztin an. »Ich habe da ein Tattoo auf dem Arm, das würde ich gerne entfernen lassen.«

Ich konnte es kaum glauben. Papa traute sich was! Er musste wirklich ein sehr schlechtes Gewissen haben. Oder Mama sehr lieben.

Er rollte seinen Hemdsärmel hoch. Die Ärztin grinste, als sie Rosi und die Rosi-Rosen sah. Dann sagte sie, man könne das Ganze in drei, vier Sitzungen erledigen, und schlug gleich einen Termin vor. Papa zuckte nicht einmal zusammen und war einverstanden, schon am nächsten Tag zu beginnen. Mir war aber auch schnell klar, warum er den Helden spielte. Die Ärztin war noch ziemlich jung und sah aus wie ein Model. Papa lachte ziemlich dämlich und tat groß, er freue sich darauf, Rosi endlich vom Arm zu kriegen.

»Ganz angenehm wird das aber nicht«, sagte die Ärztin.

»Ach was«, sagte Papa und machte eine wegwerfende Handbewegung, »Schmerzen machen mir nichts aus. Ich bin da ganz unempfindlich!«

Dabei guckte er die Ärztin sehr lange an.

Ich schnaubte.

Papa schoss mir einen wütenden Blick zu.

»Und wie *Mama* sich erst freuen wird«, sagte ich.

Papa sah aus, als wollte er mich gleich erwürgen.

Die Ärztin grinste.

»Tststs«, sagte ich, auch grinsend.
Dann mussten alle lachen.

Als wir Karli und Opa abholten, gab es ein großes Hallo. Karli war total begeistert von Papas Aktion mit den Kontaktlinsen. Sogar Opa ließ sich zu einem freundlichen Kommentar hinreißen.
»Ohne Brille siehst du nicht mehr so dick aus«, sagte er.
Für seine Verhältnisse ist das ein Kompliment.
Er sagte sogar etwas Nettes zu Papa, weil der sich endlich getraut hatte, einen Rosi-Entfernungstermin zu machen.
Karli nestelte an seinen Ohren herum.
»Ich hätte doch Klebstreifen mitnehmen sollen«, sagte er.
»Wieso?«, sagte ich. »Man sieht deine Ohren kaum noch.«
Und das stimmte. Karlis Haare waren etwas länger geworden, sodass sie über die Ohren hingen. Das sah irgendwie ... cool aus.
»Findest du?«, fragte er. Dann warf er die Haare nach hinten und lächelte.
Der Tag wurde immer besser.
Als Papa sah, dass Opa bei den alten Leutchen in guter Gesellschaft war, ging er mit Karli und mir in ein Kaufhaus und spendierte mir neue Badeshorts (schwarz! Und schön weit) und Karli ein T-Shirt.
Als wir zurück zum Campingplatz fuhren, fühlte ich mich großartig.
Karli war stolz auf sein neues T-Shirt und guckte immer wieder in die Fensterscheibe. »Die Ohren sind wirklich gar nicht so groß«, murmelte er.

Auch Papa war äußerst gut gelaunt. Er pfiff beim Fahren vor sich hin. Sogar Opa jammerte ausnahmsweise nicht herum. Moment mal …

»Papa«, sagte ich. »Wo ist Opa?«

Papa trat so auf die Bremse, dass es quietschte.

Wir hatten Opa vergessen.

Als wir am Bouleplatz ankamen, hörten wir Opa schon, bevor wir ihn sahen. Er stand mitten auf dem Platz, umringt von seinen Spielgefährten, und gab irgendwelche Geschichten zum Besten. Keine Ahnung, was er erzählte, es war ein Gemisch aus Französisch und Deutsch, aber alle hingen an seinen Lippen.

»Großer Gott«, sagte Papa und wischte sich den Schweiß von der Stirn. »Zum Glück ist nichts passiert und gemerkt hat er auch nichts.«

Allerdings hatte Papa jetzt ein schlechtes Gewissen. Er war nun megafreundlich zu Opa. Und für Karli und mich hatte Papa auch noch eine Überraschung: Als wir auf unserem Grundstück ankamen, holte er gleich Karlis Zelt hervor und baute es sogar für uns auf.

»Zu viert in dem kleinen Wohnwagen war es ja wirklich viel zu eng«, sagte er und betrachtete zufrieden sein Werk. Er sah aus, als wäre er am liebsten selbst ins Zelt gezogen.

Abends saßen wir alle um unser Grillfeuer. Es war warm, von den anderen Grundstücken hörte man Gelächter und auf dem Grill schmorten zur Feier des Tages ein paar Hähnchenschenkel.

Karli und ich hatten schon gemeinsam mit Papa und Opa *Hoch auf dem gelben Wagen* gesungen und uns vor Lachen fast weggeschmissen.

Es war irgendwie richtig gemütlich. Und die Creme wirkte, die Blasen wurden kleiner und juckten nicht mehr.

»Morgen lernen wir Gitarre spielen«, sagte ich zu Karli.

»Oh ja«, sagte der, »ich will den MP3-Player zurück, und zwar dalli.«

Papa holte Getränke aus dem Wagen und grinste uns fröhlich zu.

Opa beugte sich vor und winkte Karli und mich näher heran.

»Ich weiß, dass ihr mich heute Mittag vergessen habt«, flüsterte er und zwinkerte uns zu.

»Oh«, sagte ich, und: »Echt?«, quiekte Karli.

»Was Besseres hätte mir gar nicht passieren können«, sagte Opa und lächelte. »Soll dein Papa doch mal ein schlechtes Gewissen haben und schön seinen alten Herrn bedienen. Jetzt fängt der Urlaub erst richtig an!«

Er lehnte sich zufrieden zurück und legte die Beine hoch.

Karli und ich lachten.

Und Opa hatte recht.

Der Urlaub fing jetzt erst richtig an.

... 6: Erst funktionieren weder a noch d, dann alles

Am nächsten Tag ging es dann ans Gitarrespielen. Karli und ich verzogen uns nach dem Frühstück (die Mädchen hatten die Brötchen, wie verabredet, an die Hecke gelegt) mit Opas Gitarre und dem Übungsbuch in den Wohnwagen.

»Du spielst«, sagte Karli. »Ich singe.«

Eigentlich hatte ich auf beides wenig Lust, aber da ich so schräg singe, dass mir meine eigenen Ohren davon wehtun, griff ich seufzend nach der Gitarre.

Das erste Problem war schon mal, das Ding zu halten. Es rutschte ständig weg und ich musste mich zum Üben hinsetzen. »Wie uncool ist das denn«, sagte ich. »Hast du schon mal Angus Young auf der Bühne sitzen sehen?«

Angus Young ist der weltbeste Gitarrist, von *AC/DC*.

Karli grinste. »Nee«, sagte er. »Der rennt sogar rum beim Spielen. So.«

Er hüpfte auf einem Bein durch den Wohnwagen und spielte Luftgitarre.

Ich schaute auf meine Hand, die noch nicht mal richtig den Griff umfassen konnte.

Karli setzte sich neben mich und schlug das Übungsbuch auf.

185

Wir entschieden uns für den ersten Akkord, a-Moll. Das sah ziemlich einfach aus.

War es aber nicht. Wie auch immer ich meine Finger auf die Kunststoffsaiten drückte, entweder rutschte ich ab oder kriegte die Dinger nicht richtig fest runtergedrückt. Wenn ich mit der rechten Hand die Saiten anschlug, klang es, als wäre man aus Versehen einer Katze auf den Schwanz getreten.

»Hm«, sagte Karli. »Wir versuchen es vielleicht mal hiermit.« Er deutete auf einen D-Dur-Akkord.

Der klang nach einem schreienden Baby.

Egal welchen Akkord wir uns aussuchten, es funktionierte überhaupt nichts.

»Was für eine bescheuerte Idee!«, rief ich und schubste die Gitarre auf Papas Bett. »So kriegen wir nie unseren MP3-Player zurück!«

»Ich fürchte, so klappt es wirklich nicht«, seufzte Karli.

Er schnappte sich die Gitarre und versuchte selbst, diesem Mistding vernünftige Töne zu entlocken, aber auch er hatte keine Chance.

»Wir könnten ja für heute erst mal was anderes versuchen«, schlug ich vor. Vielleicht würde es morgen mit dem Gitarrespielen besser klappen.

Es gab auch noch genug anderes zur Auswahl auf Papas Aufgabenzettel.

Heute Morgen, in der Zeit, wo wir offiziell Brötchen kaufen waren, hatten wir uns an den See verzogen, um zu üben, wie man balanciert. Wir sollten nämlich dreißig Schritte auf einem Mäuerchen machen und fünf Bäume bestimmen und Feuer machen können, um die Nintendos zurückzubekommen. Unten am See gab es an einer Stelle des Ufers eine Mauer, die den Hafenbereich vom Schwimmteil abtrennte, und da waren wir eine halbe Stunde lang wie die Kraniche auf der Mauer unterwegs gewesen. Die andere halbe Stunde hatten wir gebraucht, um uns trocknen zu lassen. Natürlich waren wir beide ins Wasser gefallen, aber immerhin war das mit den Kontaktlinsen ja jetzt kein Problem mehr für mich.

Blieben noch *Bäume bestimmen* und *Feuer machen.*

Karli und ich entschieden uns für das Baumbestimmungsbuch und machten uns auf den Weg zu unserem Wäldchen. Fünf verschiedene Bäume zu finden, war nicht schwer, aber herauszubekommen, wie sie hießen, schon. So was hatte ich zuletzt in der Grundschule gemacht, und das ist ja nun schon eine Weile her. Und zu erkennen, ob die Blätter mehrständig sind oder einständig und so was, also, das war eine echte Herausforderung.

»Ich hoffe nur, wir kriegen nachher endlich unsere Nintendos«, sagte ich. »Ich laufe nicht noch mal wie ein Storch auf einer Mauer rum, und hier im Wald rumzustehen, wenn alle am See sind, ist Folter!«

»Und es ist so was von uncool«, sagte Karli. »Lass mal sehen, was wir bisher geschafft haben.«

Er zog zwei Zettel aus der Hosentasche.

Einer war Papas Aufgabenliste.

Der andere war unsere Liste. Die, auf der wir aufgeschrieben hatten, wie wir cool werden wollten.

Schwimmen, Kopfsprung, Hip-Hop-Musik
hören, Hip-Hop-Texte lernen, coole Klamotten kaufen,
lässig schlendern lernen, Mädchen anmachen

stand darauf.

»Na ja«, sagte ich. »Musik hören können wir immer noch nicht. Den Kopfsprung muss ich noch üben. Und statt Hip-Hop-Texten kann ich *Hoch auf dem gelben Wagen* singen. Alle Strophen.«

»Aber dafür hast du jetzt eine coole Badehose«, sagte Karli.

»Und Kontaktlinsen. Und immerhin haben wir Mädchen angesprochen.«

»Die haben gesagt, wir sehen aus wie typische Computerfreaks«, sagte ich. »Das ist nicht cool.«

»Wir können ja auf dem Rückweg üben, lässig zu schlendern«, schlug Karli vor. »Wir sollten los. Hier im Wald können wir Cool-sein-Üben vergessen. Und wir sollten noch den Brief für Lucas schreiben!«

Wir hatten Lucas seit dem ersten Mal am Strand bisher nicht mehr gesehen, aber wir wollten vorbereitet sein, wenn wir ihn wieder irgendwo entdeckten. Wir konnten es kaum abwarten, seinen blöden Gesichtsausdruck zu sehen, wenn er den Brief las.

»Ja, nichts wie raus hier!«, sagte ich.

Ich sagte nicht, dass mir das Balancieren richtig Spaß gemacht hatte. Und die Blättersammlerei, die hätte ich zwar nicht gebraucht, aber es roch gut im Wald, und es hatte was von Abenteuer, hier fernab vom überfüllten Campingplatz herumzulaufen …

Plötzlich hatte ich eine Idee.

»Hey, wollen wir hier übernachten? Im Zelt?«, fragte ich Karli.

»Klar, coole Sache!«, sagte Karli begeistert. »Ist bestimmt supergruselig, so einsam und still, wie es hier ist!«

»Genau«, sagte ich. »Wenn wir uns mit dem Gitarrespielen beeilen, können wir auch unseren MP3-Player mitnehmen und Gruselgeschichten hören!«

»Grandioser Plan«, sagte Karli. »Wenn wir nur diese blöden Akkorde hinkriegen würden. So schwer sieht es doch gar nicht aus!« Er seufzte.

Wir beschlossen, es gleich noch einmal mit dem Gitarrespielen zu versuchen. Die Aussicht auf eine Gruselnacht im Wäldchen war einfach zu verlockend.

Wir sammelten die noch fehlenden Blätter, legten sie in das Buch zwischen die passenden Seiten und machten uns auf den Rückweg.

Die meisten Grundstücke waren verlassen, denn es war heiß und die Leute hatten sich wohl zum Baden aufgemacht. Nur ein paar ältere Leutchen saßen auf ihren Gartenstühlen und lasen oder dösten vor sich hin. Als wir um die Ecke bogen, hörten wir es aber schon lärmen. Und kurz darauf sahen wir auch, was da lärmte: ein scheppernder Gitarrenverstärker. Es war der Junge, den wir schon einmal Gitarre spielen gehört hatten. Das Grundstück sah noch chaotischer aus als beim letzten Mal. Jetzt jagte zwar kein Hund durch die Gegend, dafür hatte der Junge an der Gitarre aber Verstärkung durch einen weiteren Jungen am Schlagzeug bekommen. Er war schätzungsweise so alt wie der Gitarrist, vierzehn oder fünfzehn, und spielte genauso hingebungsvoll und genauso laut. Und genauso gut.

»*Hells Bells*«, sagte Karli und riss die Augen auf.

»Mann, so müsste man spielen können«, sagte ich. »Wir hätten den MP3-Player in null Komma nichts zurück.«

Wir lauschten noch eine ganze Weile.

»Na, ist euch der Krach zu laut?«, hörte ich auf einmal eine Stimme hinter uns.

Karli und ich fuhren hoch, als ob eine Wespenhorde über uns hergefallen wäre. Ein ziemlich großer Mann, der mit Einkaufstüten beladen war, sah auf uns herab und lachte.

»He«, brüllte er durch das Gartentor. »Macht mal ein bisschen leiser, ihr erschreckt ja den ganzen Platz mit eurem Getöse!«

»Nein, nein«, sagte Karli schnell. »Wir stehen hier nur, weil die Jungs so gut spielen.«

»Ah«, sagte der Mann und schob mit einem Fuß das Gartentor auf. »Na, ich befürchte ja, dass wir bald von ein paar Nachbarn verklagt werden.«

Er lachte und versuchte, sich durch das Tor zu bugsieren. Zwei Einkaufstüten gingen zu Boden.

Karli und ich hoben die Tüten auf.

»Wohin damit?«, fragte ich.

»Ah, danke«, sagte der Mann und deutete mit dem Kopf auf den ramponierten Wohnwagen. »Wenn ihr so nett wärt …«

Wir waren so nett, aber ich brach mir fast das Bein, als ich über einen Tennisball stolperte, und Karli blieb in einem Hüpfseil hängen.

Immerhin bemerkten jetzt auch die beiden Jungs, dass hier

jemand war, dem sie helfen konnten. Sie nahmen ihrem Vater
den restlichen Kram ab und trugen alles mit uns in den Wohnwagen. Hier herrschte genauso ein Chaos wie draußen.

»Ihr habt zwei Fans«, sagte der Vater zu den Jungs. »Wahrscheinlich die Einzigen, die uns hier noch freundlich gesinnt
sind.«

»Mögt ihr Rockmusik?«, fragte der Gitarrist.

Karli und ich nickten.

»Macht ihr auch Musik?«, fragte der andere.

»Nein«, quietschte Karli und wurde rot.

»Würden wir gern«, sagte ich.

»Schon mal probiert?«, fragte der Schlagzeuger.

»Äh«, sagte ich und zögerte einen Moment.

Sehr intelligent, Martin.

»Wir versuchen uns gerade im Gitarrespielen, aber es funktioniert nicht so richtig.«

»Ah«, sagte der Gitarrist. »Wenn wir helfen können – stets
zu Diensten. Ich bin übrigens Benedikt.«

»Julius«, sagte der andere.

»Karli«, quiekte Karli. Er musste wirklich *sehr* aufgeregt
sein.

»Martin«, sagte ich.

»Wenn ihr wollt, kann ich euch ein paar Akkorde zeigen«,
sagte Benedikt.

Wenn wir wollten? Klar wollten wir!

Der Vater grinste. »Na, haben die beiden endlich jemanden
gefunden, dem sie ein Ohr über Musik abkauen können«,
sagte er. »Sie haben es schon bei ihren Geschwistern versucht,
aber da stoßen sie auf taube Ohren.«

»Der eine hat nur Sport im Kopf, und die Mädchen sind unmusikalisch wie sonst was«, sagte Benedikt und schüttelte den Kopf. »Sobald eine versucht, zu singen oder ein Instrument anzufassen, könnte man weinen. Die Klavierlehrerin von meiner Schwester hat Mama angerufen und gesagt, sie könnte das Geld zwar gut gebrauchen, aber es würde an schamloses Ausnutzen grenzen, ihr noch weiter Unterricht zu geben.«

Wir lachten alle.

Benedikt drückte mir die Gitarre in die Hand.

Zuerst war es mir ja megapeinlich, vor diesen beiden Supermusikern eine so jämmerliche Vorstellung zu geben, aber als Benedikt sagte, für den ersten Tag könne man nicht meckern, war ich richtig stolz. Ich schaffte es tatsächlich, drei Akkorde zu spielen, die nicht nach jammernder Katze oder schreiendem Baby klangen. Und das Beste war: Es machte irren Spaß.

Der Knaller aber war, als Karli anfing, vor sich hin zu singen.

»Hey«, rief Julius. »Mach noch mal! Eine Sekunde, Moment!«

Er stürzte an sein Schlagzeug und rief »Hells Bells!« zu Benedikt hinüber. Die beiden begannen zu spielen.

»Jetzt du!«, rief Benedikt.

Karli wurde tomatensoßenrot. Er räusperte sich.

»Na los«, sagte ich. »Du singst sensationell. Mach schon!«

Karli schluckte und räusperte sich noch mal.

»Leg einfach los!«, rief Julius. »Mach am besten die Augen zu!«

Karli sah Hilfe suchend zu mir herüber und wartete. Ich nickte ihm zu. Dann schloss er die Augen und öffnete den Mund. Mann, mit der Gitarre und dem Schlagzeug dabei klang Karli total irre. Sensationell.

Er sang das ganze Lied durch, bis der letzte Akkord verklungen war. Dann räusperte er sich und öffnete die Augen.

Die beiden Jungs sahen ihn mit offenem Mund an.

»Sorry«, sagte Karli. »Ich hab noch nie mit Begleitung gesungen.«

»Machst du Witze?«, rief Benedikt. »Du singst ja klasse! Du klingst wie Brian Johnson!«

»Findest du?«, sagte Karli und wurde schon wieder rot. Diesmal war es fast ein leuchtendes Lila.

»Er ist besser als Frederick«, sagte Julius zu Benedikt, und zu Karli sagte er: »Das ist der Sänger von unserer Band zu Hause.«

Karli strahlte wie ein Weihnachtsbaum.

Jetzt waren die beiden großen Jungs restlos begeistert. Ich durfte auf einer Bongotrommel mitmachen (meine neu erworbenen Gitarrenkünste hätten nicht mal für *Happy Birthday* gereicht) und Karli musste singen.

Der Vater der beiden Jungs kam aus dem Wohnwagen und schaute neugierig zu uns herüber.

»Ich muss sagen, *leiser* seid ihr mit eurer Verstärkung nicht geworden«, rief er. »Aber besser!«

Wir spielten und sangen und hatten Spaß, bis zwei Mädchen durch die Grundstückstür kamen.

Karli blieb der Ton mitten im Refrain im Hals stecken und ich kippte fast rückwärts vom Hocker.

Da standen unsere Brötchenlieferantinnen mit Strandmatten unter den Armen.

Luna und Stella.

Ich guckte zu Karli und der zu mir. Er machte den Mund auf und zu, aber es kam nichts mehr heraus. Die beiden Brüder hörten auf zu spielen.

»Texthänger?«, fragte Benedikt und grinste.

»Ja-ha«, krächzte Karli.

Lunas Augen wurden so groß wie Untertassen und Stellas Augenbrauen rutschten in Richtung Himmel.

»Was macht *ihr* denn hier?«, fragte Stella.

»Och«, sagte ich. »Musik.«

Schon wieder so eine intelligente Antwort.

Vielleicht halfen ja wenigstens die Kontaktlinsen. Ich klimperte mit den Augen. Luna musste doch sehen, wie blau sie waren.

»Dachten wir uns schon«, antwortete sie.

»Ihr kennt euch?«, fragte Julius.

»Öh, so vom Strand«, sagte ich.

Zum Glück erschien in diesem Moment noch eine Frau mit langen, nassen Haaren und einer Riesentasche über der Schulter. Es war die, die morgens gesagt hatte, Benedikt solle den Verstärker ausmachen.

»Hallo«, sagte sie freundlich und nickte uns zu. »Haben unsere Jungs also Verstärkung bekommen. Klingt gut! Es gibt aber gleich Essen, ich habe Pizza mitgebracht, da war heute so ein Stand am See.«

Sie klopfte auf die Tasche.

Mein Magen grummelte. Ich hatte gar nicht gemerkt, wie hungrig ich war, aber jetzt gerade lief mir das Wasser im Mund zusammen. Hier gab es Pizza und auf unserem Grundstück erwartete uns Grillgemüse!

Die Frau hatte meinen Blick wohl gesehen.

»Wollt ihr zwei mitessen?«, fragte sie. »Ist genug da! Wir haben einen Vielfraß in der Familie, für den habe ich gleich zwei Pizzen besorgt. Er kann aber auch ruhig mal teilen.«

Na, die Entscheidung fiel nicht wirklich schwer.

Hier: Pizza. Bei uns: Grillgemüse.

Hier: Luna und Stella. Bei uns: Opa und Papa.

»Wir essen gerne hier, danke«, sagte ich.

»Fein«, sagte die Frau. »Mädchen, holt Justus, Jungs, deckt den Tisch. Und ihr beiden wollt vielleicht euren Eltern Bescheid sagen, dass ihr bei uns esst?«

Gute Idee. Karli und ich flitzten los.

Papa war ganz überrascht, als wir ihm sagten, dass wir heute bei unseren neuen Bekannten essen würden.

»Aha«, sagte er. »Wer ist das denn?«

Wir erzählten ihm, wie wir die Jungs und ihre Familie kennengelernt hatten.

»Na, von mir aus«, sagte Papa. »Obwohl ich ja eigentlich vorhatte, heute zur Feier des Tages mit euch essen zu gehen.«

Er deutete auf seinen Arm. Ein Verband lugte unter dem T-Shirt hervor.

Richtig! Papa hatte heute seinen ersten Termin bei der Hautärztin gehabt, um das Rosi-Tattoo entfernen zu lassen.

»Ah«, sagte ich und »Oh«, sagte Karli.

Begeistert waren wir aber nicht, jetzt, wo wir die Aussicht auf einen Abend mit zwei Supermusikern und zwei Supermädchen hatten. Wahrscheinlich sah Papa das an unseren Gesichtern. Er seufzte.

»Also gut, los mit euch! Und viel Spaß!«

... 5: Ein schöner Familienabend und ein weniger schöner

Ja, Spaß hatten wir. Es war richtig gemütlich, mit so vielen Leuten an einem Tisch zu sitzen. Da waren Luna und Stella und Benedikt und Julius, der Vater und die Mutter und obendrein noch ein anderer Bruder namens Justus. Es gab noch einen kleinen Bruder, der war aber nicht da, weil er bei einem Urlaubsfreund zu Abend aß. Der Hund Snatch, ein großer Labrador, saß die ganze Zeit neben mir und schaute mir beim Pizzaessen zu.

Wir hatten geholfen, Lampions aufzuhängen, und in der Wiese steckten ein paar Fackeln. Von den anderen Grundstücken hörte man Gelächter und Geschirrgeklapper. Ich dachte wieder daran, wie schade es war, dass Mama nicht mitgekommen war. Sie rief zwar jeden Abend an, aber es war doch nicht dasselbe. Morgen würde ich ihr aber erzählen können, dass Rosi schon die erste Ration mit dem Laser abbekommen hatte und in ein paar Wochen kaum noch zu sehen sein würde. Vielleicht würde Papa ja Mama am Telefon davon erzählen und sie wartete schon auf uns, wenn wir zurückkamen?

Unsere neuen Freunde waren aber so lustig, dass ich mich nur so lange in Grübeleien verlieren konnte, wie das gefräßige Schweigen herrschte. Als die ersten Pizzastücke verschlungen waren, begann ein ordentliches Tohuwabohu. Jeder wollte erzählen, wie sein Tag gewesen war, Karli und ich mussten Luna und Stella erklären, wie wir ihre Brüder Julius und Benedikt kennengelernt hatten, und dann fragten wir uns alle gegenseitig aus, woher wir denn eigentlich kämen, und da gab es die erste Überraschung: Die Familie Sonnenfeld kam aus derselben Stadt wie wir!

»Auf welche Schule geht ihr denn?«, fragte ich Luna und Stella.

»Marie-Luise-Kaschnitz-Gesamtschule«, antwortete Luna mit vollem Mund. »Nach den Ferien kommen wir in die sechste Klasse. Und ihr?«

»Ludwig-Erhard-Gymnasium«, sagte ich. »Nach den Ferien in die siebte.«

»Nee, echt?«, sagte Benedikt. »Ist ja lustig. Ich bin auch auf dem Ludwig-Erhard! Ich komme nach den Ferien in die Zehnte.«

Wir fingen an, uns über unsere Lehrer zu unterhalten. Den fiesen Lemmel und die strenge Mork hatte er auch im letzten Schuljahr gehabt.

Es war ganz leicht, mit den anderen zu reden. Zum ersten Mal seit Langem fühlte ich mich nicht wie ein Freak.

Als wir uns auf den Heimweg machten, waren wir in Hochstimmung. Es war immer noch schön warm, von überall her hörte man Gespräche und Gelächter, Grillen zirpten, und ich fühlte mich zum ersten Mal seit Ewigkeiten richtig wohl.

Kein Wunder, wenn man gerade vom schönsten Mädchen der Welt gehört hat, dass man *cool* ist.

»Irgendwas ist anders«, hatte Luna gemurmelt und den Kopf zur Seite gelegt und mich betrachtet.

»Ich hab jetzt Kontaktlinsen«, hatte ich gesagt.

»Stimmt, das ist es. Cool.«

Mehr hatte Luna nicht gesagt, aber das reichte mir absolut.

Ich sah cool aus.

Ich war *cool.*

Ich, Martin Ebermann.

Karli hatte auch ein Dauergrinsen im Gesicht, seit Stella ihm gesagt hatte, er habe großartig gesungen.

»Hat geklungen wie auf einer CD«, hatte sie gesagt.

Tja, hier gingen wir also nun, der gigantische Sänger Karli und ich, der coole Typ mit den blauen Augen.

»Karli«, sagte ich. »Dieser Urlaub ist bombastisch. Wir werden cool!«

»Und die zwei schönsten Mädchen des ganzen Campingplatzes mögen uns«, sagte Karli und schüttelte den Kopf. »Nicht zu fassen.«

Außerdem …

… saß meine Hose ein bisschen lockerer als vor dem Urlaub,

… hatten wir zwei Jungs kennengelernt, die uns zu sensationellen Musikern machen würden (zumindest fast),

… war Papa auf dem besten Weg, Mama zurückzubekommen,

… würden wir dafür sorgen, dass wir nach den Ferien unsere Ruhe vor den Fabs hatten.

Ich war also rundherum mit der Welt zufrieden.

Und da hörten wir etwas. Jemand brüllte.

Hinter der Hecke, an der wir gerade vorbeiliefen, krachte es gewaltig.

»Ich habe gesagt, du sollst die Wiese mähen!«, brüllte ein Mann. »Nichts hast du gemacht! Und stell deine blöde Musik leiser, ich will meine Ruhe!«

Dafür, dass er seine Ruhe wollte, brüllte der Kerl ziemlich laut. Musik hingegen konnten wir gar keine hören.

Wir schlichen ganz nah an die Hecke heran und bogen vorsichtig ein paar Zweige zur Seite.

Der Kerl, der da brüllte, war Lucas' Vater.

»Morgen früh wird gemäht!«, schrie er. »Und wenn ich noch mehr freche Antworten höre, knallt es, verstanden?«

Neben ihm stand Lucas' Mutter. Sie zupfte ihren Mann am Arm. »Bitte, Volker«, sagte sie. »Nicht so laut. Die Nachbarn hören doch alles!«

»Bring deinem missratenen Sohn Manieren bei, dann muss ich mich auch nicht so aufregen«, fuhr er sie an.

Lucas stand mit gesenktem Kopf da und schwieg.

»Bring den Müll weg«, sagte seine Mutter.

Sie klang nicht gemein, als sie das sagte, obwohl sie ja eigentlich »bitte« hätte sagen können. So, wie sie klang, wollte sie Lucas nur möglichst weit von seinem Vater wegschicken.

Lucas nahm den Müllsack und machte sich auf den Weg.

»Schnell«, sagte ich und zog Karli am Arm. »Weg hier!«

Wir rannten um die Ecke und flogen fast über den Schotterweg zu unserem Grundstück.

Es dauerte eine Weile, bis wir verdaut hatten, was wir eben gesehen hatten.

»Also, dass Lucas' Vater nicht so ein toller Typ ist, wie Lucas

200

immer gesagt hat, haben wir ja schon gemerkt«, sagte Karli. »Aber dass er so abgeht, das hätte ich nicht gedacht.«

Ich hatte Lucas' Vater schon vor den Ferien gesehen. Er war auf allen möglichen Weihnachtsfeiern und Schulfesten dabei gewesen. Damals hatte er mir sehr imponiert. Da war er aber auch ganz anders gewesen. Er hatte einen feinen Anzug getragen und gelacht und dem Direktor die Hand geschüttelt. Der Direktor hatte ihn in den höchsten Tönen gelobt. Das Autohaus spendierte immer sehr großzügig alles, was man für ein Schulfest braucht. Bei der freiwilligen Feuerwehr war Lucas' Vater ja auch. Er hatte angeblich sogar ein kleines Mädchen aus einem brennenden Haus gerettet, in letzter Sekunde.

Das, was ich hier gesehen hatte, war allerdings ein ganz anderer Mensch. Ein ziemlich fies aussehender Kerl, der seine Familie anschrie.

Für einen klitzekleinen Moment tat mir Lucas richtig leid.

»Diesem Lucaspapa-Ekel möchte ich nicht im Dunkeln begegnen«, sagte Karli und verzog das Gesicht.

Plötzlich raschelte es in der Hecke.

Wir machten beide einen ordentlichen Satz zur Seite.

Ein hoch erhobener Stock erschien vor unseren Nasen.

»Wer lungert denn da vor unserem Grundstück herum?«, hörte ich Opas Stimme.

»Mann, Opa, *wir* sind's«, sagte ich.

»Ah«, sagte Opa und pikste mich mit seinem Stock in die Seite. »Na, dann will ich noch mal Gnade vor Recht ergehen lassen. Rein mit euch!« Er scheuchte uns mit seinem Stock durch die Pforte.

Papa saß am Lagerfeuer und telefonierte mit seinem Handy.

»Da sind sie«, sagte er und winkte mich heran. »Mama«, sagte er zu mir und reichte mir das Handy.

Mama? Das war ein gutes Zeichen. Normalerweise rief sie nur an, um mit *mir* zu reden. Es sah aber so aus, als hätte sie sich gerade mit Papa unterhalten, und zwar freundlich, denn er lächelte. Seine Augen glänzten und er rieb sich seinen verbundenen Arm.

»Hallo, mein Großer«, begrüßte mich Mama in gewohnt munterem Tonfall.

»Hi«, sagte ich. »Kommst du zurück?«

Das rutschte einfach so aus mir heraus. Oft genug ging Mama mir auf den Keks, aber jetzt, wo ich gerade Lucas und seine komischen Eltern gesehen hatte, bekam ich fürchterliches Heimweh. Das würde ich aber niemandem erzählen, nicht mal Karli.

»Hat dein Vater tatsächlich Rosi einem Arzt gezeigt und auch noch was machen lassen?«

»Es war eine Ärztin«, sagte ich. »Aber ja, er war ganz mutig.«

Papa strahlte.

»Aha, eine Ärztin«, sagte Mama. »Jung und hübsch, nehme ich an?« Sie hatte einen Unterton in der Stimme.

»Nö«, sagte ich. »Eher alt und ein bisschen schrumpelig.«

»Alt und schrumpelig, soso«, sagte sie und seufzte. Dann war sie eine Weile still.

Papa guckte misstrauisch.

»Wie klappt es denn so mit Opa und Papa?«, fragte Mama.

Papas Stock, an dem er gerade eine Kartoffel ins Feuer hielt, begann zu brennen.

»Papa«, rief ich, »der Stock brennt!«

»Was?«, brüllte Opa. »Mein Stock brennt?«

Papa hüpfte ums Feuer herum und blies auf seine Hand.

Opa untersuchte kopfschüttelnd seinen Stock. Karli saß lässig im Gartenstuhl und grinste.

»Klappt alles gut, Mama«, sagte ich. »Hervorragend. Bist du denn zu Hause, wenn wir kommen?«

»Ja, ich denke schon«, sagte Mama. »Man kann euch ja nicht alleine lassen. Ich höre ja, was da bei euch los ist.«

Ich merkte, dass auch Mama grinste.

»Cool«, sagte ich. Dann erzählte ich ihr noch, dass Karli und ich neue Freunde gefunden hatten. Von Lucas sagte ich nichts.

Als ich mit Telefonieren fertig war, gab Opa gerade Geschichten aus seiner Jugend zum Besten. Karli lauschte beeindruckt Opas Erzählung, wie er Oma kennengelernt hatte.

»Ich habe sie von der Straße gezogen, als ein Autofahrer um die Ecke geschossen kam«, sagte er. »Ich habe ihr das Leben gerettet!«

»Vater«, sagte Papa und seufzte. »Du hast sie aufgefangen, als sie in Ohnmacht fiel. Von der Straße gezogen hat sie dein Freund Alois.«

»Warst du dabei?«, fragte Opa.

Papa schüttelte nur den Kopf.

»Na also«, sagte Opa und kaute Karli weiter ein Ohr ab.

Papa winkte mich heran und flüsterte mir zu: »Ich kenne die Geschichte. Deine Oma erzählt sie aber ein bisschen anders.«

Wir mussten beide lachen.

Als Karli und ich in unseren Schlafsäcken lagen, unterhielten wir uns noch lange über alles, was heute geschehen war. Natürlich besonders über Lucas und seinen Vater.

»Was für ein Ekelpaket«, sagte Karli. »Kein Wunder, dass Lucas auch so ein Ekel ist.«

»Ja, er könnte einem fast leidtun«, sagte ich. »Wenn er nicht selbst so ein Ekel wäre.«

»Na, wenn er erst mal unseren Brief gelesen hat, wird er zu uns nie mehr fies sein können«, sagte Karli.

Wir nahmen uns vor, den Brief morgen zu schreiben. Wir waren heute gar nicht dazu gekommen, weil wir ja den Abend bei unseren Ferienfreunden verbracht hatten.

Als Karli eingeschlafen war, dachte ich noch lange darüber nach, wie gut wir es hatten.

Von draußen hörte ich das Knistern des Lagerfeuers und die Stimmen von Papa und Opa.

Mama würde zurückkommen.

Meine Familie war ein bisschen merkwürdig, aber immerhin war es eine Familie.

Eigentlich hatte ich ziemliches Glück mit meinen Eltern.

... 4: Von Gangstern und Pfadfindern

Am nächsten Tag verzogen wir uns direkt nach dem Frühstück in den Wohnwagen, um den Brief für Lucas zu schreiben. Ich wühlte in meinem Rucksack nach einem Stück Papier. »Hey«, rief Karli und schnappte sich die Morgenzeitung, die neben der Spüle lag. »Das wär's doch! Wir machen einen richtigen Erpresserbrief! So einen mit ausgeschnittenen Buchstaben.«

»Prima Idee«, sagte ich. »Aber wir haben keinen Kleber.« Karli überlegte eine Weile.

»Wir könnten in dem komischen Pfadfinderbuch von deinem Opa gucken«, sagte er schließlich. »Vielleicht kann man Kleber selber machen?«

Ich fischte das Buch aus der großen Tasche mit Opas Utensilien und suchte im Inhaltsverzeichnis. »*Naturkleber!*«, rief ich und begann zu blättern. »Da steht echt was von *Naturkleber!*«

Auf der angegebenen Seite wurde beschrieben, wie man ganz leicht in der Natur einen Klebstoff finden konnte:

Das Harz von Nadelbäumen, besonders von Kiefern, eignet sich sehr gut als Behelfsklebstoff. Man ritze mit dem Taschenmesser tief in die

Rinde eines Nadelbaumes. Das herausquellende
Harz sollte alsbald zum Kleben verwendet werden, bevor es gerinnt.

»Na, dann ist das ja kein Problem«, rief Karli. »Gar nicht so
unnütz, diese alten Schwarten.« Er tätschelte das Pfadfinderbuch.

Wir schnitten also mit einer Nagelschere die Buchstaben, die
wir brauchten, aus der Zeitung aus.

Es dauerte eine Weile, bis wir alles zusammenhatten, aber das
Ergebnis konnte sich sehen lassen. Über den ganzen Tisch
verstreut lagen ausgeschnittene Buchstaben in verschiedenen
Größen. Wir legten sie probeweise so zu Wörtern zusammen,
wie sie nachher in den Brief geklebt werden sollten.

Wir wissen, Dass Du Da Bist.
Wenn Dir Dein LeBen LieB ist, KOMM
heute aBenD um 9 zur grOssen KieFer im
WöLDChen am OstranD. Keine Tricks!

»Klasse«, sagte ich. »Genau wie ein echter Erpresserbrief!«
Karli nickte zufrieden.

Wir schütteten die Buchstaben in eine Plastiktüte und legten
ein leeres Blatt Papier dazu, das ich aus meinem Block ge-
rissen hatte. Karli nahm das Pfadfinderbuch und ich steckte
Opas Taschenmesser ein. Als wir die Tür zum Garten öffneten, mussten wir blinzeln, so hell schien die Sonne.

»Na, ihr beiden, wollt ihr zum See?«, fragte Papa und klappte seinen Liegestuhl weiter nach hinten. Er trug eine schwarze Sonnenbrille und in seinem Gesicht wuchsen Bartstoppeln. Seit wir hier waren, hatte er sich nicht mehr rasiert. Er sah aus wie ein italienischer Gangster.

»Nö«, sagte ich und zeigte auf das Pfadfinderbuch in Karlis Händen. »Wir gehen in den Wald, die Namen von Bäumen lernen. Wir wollen unsere Sachen zurück.«

Das war nicht mal gelogen.

»Fleißig, fleißig«, sagte Papa und streckte sich. »Wenn ihr in dem Tempo weitermacht, habt ihr euren Kram bald wieder.«

»Ja, wir sind sehr fleißig«, sagte ich. Karli unterdrückte ein Kichern.

Opas Liegestuhl war leer. Als wir zum Tor hinausgingen, sahen wir auch, weshalb. Opa saß auf seinem Klappstühlchen und schaute den Weg auf und ab.

»Was machst du denn hier?«, fragte ich erstaunt.

»Aufpassen«, sagte Opa und deutete auf den Schotterweg. »Die Kinder fahren hier ja mit den Rädern rum wie einst Schumacher auf dem Nürburgring (Opa guckt immer Formel 1). Einer muss sie ja zur Ordnung rufen, wenn ihre Eltern es schon nicht tun!« Er hielt eine Trillerpfeife hoch, die um seinen Hals hing.

Wir machten, dass wir wegkamen.

Es dauerte nicht lange, bis wir im Wäldchen waren. Mittlerweile kannten wir uns ganz gut aus auf dem Platz und der große Nadelbaum in der ersten Kurve des kleinen Waldwegs war nicht zu übersehen. Es war genau so, wie ich es in Erinnerung hatte: Der große Nadelbaum am Rand der kleinen Lichtung war wirklich eine Kiefer. Perfekt!

Ich ritzte die Rinde mit dem Taschenmesser ein. Beim ersten Mal klappte es nicht, aber nach ein paar Versuchen war der Schnitt tief genug. Und tatsächlich: Aus der eingeritzten Stelle quoll eine zähe gelbe Flüssigkeit!

»Schnell, die Buchstabenzettel«, sagte ich aufgeregt. Karli reichte mir den ersten und klebte ihn dann auf das mitgebrachte Papier. Er drehte den Brief um und schwenkte ihn hin und her. Es klappte! Das Zeug klebte bombenfest.

»Super!«, jubelte Karli.

Ich musste mich beeilen, denn die Flüssigkeit gerann schnell an der Luft und wurde zu zäh zum Verstreichen.

Ein paarmal musste ich noch in die Rinde schneiden, bis alle Buchstaben auf den Brief geklebt waren.

Meine Finger waren ganz verpappt von der Harzmasse. Aber es roch gut. Karli und ich betrachteten den Brief. Er sah sehr echt aus, wie von richtigen Ganoven.

Jetzt mussten wir nur noch hoffen, dass wir Lucas bald am Strand sehen und irgendeinen Briefboten finden würden. Vielleicht war ja heute der Tag, auf den wir die letzten Tage gewartet hatten? Wir gingen also schnell zurück, zogen unsere neuen Badesachen an, steckten den Brief für Lucas ein und machten uns auf den Weg zum Strand.

Als wir auf unserem Plätzchen hinter den Büschen angekommen waren, spähte ich mit dem Fernglas den Strand aus. Lucas war tatsächlich da! Er lag links unterhalb unseres versteckten Plätzchens, also mussten wir jetzt einen Briefboten finden, der rechts von uns lag. Wir mussten ja hinlaufen, um ihm den Brief zu geben und ihm einzurichten, was er zu tun hatte. Es waren aber nicht so viele Kinder zu sehen.

»Hey«, sagte Karli, »wie wär's mit dem da?«, und zeigte auf einen Jungen, der nur ein paar Meter von uns entfernt hinter einem Mädchen herraste. Beide sahen aus, als wären sie sieben oder acht Jahre alt.

»He, du da!«, rief ich.

Die beiden bremsten scharf und guckten zu uns herüber. Das Mädchen sah, dass es nicht gemeint war, und rannte, dankbar für seinen Vorsprung, runter zum Strand. Der Junge kam langsam auf uns zu.

»Was wollt ihr denn?«, fragte er, als er bei uns angekommen war, und legte den Kopf schief.

Er hatte ungefähr eine Million Sommersprossen im Gesicht und auf den Armen und genauso viele rote Locken, die wirr von seinem Kopf abstanden.

»Willst du dir was verdienen?«, fragte ich und zog ein Zweieurostück aus der Hosentasche, so lässig wie ein Gangster in einem Krimi.

Der Kleine guckte auf das Geldstück.

»Da vorne steht ein Eiswagen«, sagte Karli und zeigte auf die Bude am Wiesenrand.

Das wirkte.

»Was muss ich denn machen?«, fragte der Junge.

»Du nimmst diesen Brief hier«, ich hielt ihm den Umschlag hin, »und gibst ihn dem Typ dahinten, mit der roten Badehose und den blonden Haaren.« Ich gab dem Kleinen das Fernglas und ließ ihn durchgucken.

Er nickte.

»Wer seid ihr denn?«, fragte er neugierig und gab mir das Fernglas zurück.

»Das tut nichts zur Sache«, sagte ich mit Grabesstimme.

»Wir sind deine Auftraggeber. Mehr musst du nicht wissen.«

Der Kleine guckte beeindruckt. Er nahm den Brief an sich und griff nach dem Geldstück.

Ich schloss schnell die Hand.

»Dass wir uns richtig verstehen«, sagte ich. »Du gibst ihm den Brief, wenn seine Eltern es nicht sehen, und verschwindest. Du sagst kein Wort, verstanden?«

Der Kleine nickte.

»Und dann gehst du zu deiner Freundin zurück und guckst nicht mehr in unsere Richtung. Alles klar?«

Der Kleine nickte wieder.

Ich öffnete die Hand.

»Dann flitz los!«, sagte ich.

Er schnappte sich das Geldstück und rannte zum Strand hinunter, als wäre ein Gespenst hinter ihm her.

Wir schauten ihm durchs Fernglas nach. Karli guckte durch das rechte Rohr, ich linste durch das linke.

Der Kleine machte genau, was ich ihm gesagt hatte. Als er fast am Strand angekommen war, verlangsamte er und schlenderte dann, wie unbeteiligt, Richtung Lucas. Die Mutter döste immer noch und vom Vater war keine Spur zu sehen. Lucas saß auf seinem Handtuch und schaute auf den See.

Jetzt blieb der Kleine stehen.

Sein Schatten musste auf Lucas gefallen sein, denn der sah auf.

Der Kleine streckte Lucas den Brief hin. Er war so überrascht, dass er ihn gleich nahm. Dann sagte Lucas etwas. Wahrscheinlich fragte er den Kleinen, was für ein Brief das war. Aber der Kleine hielt, wie abgemacht, den Mund, drehte sich um und raste zurück über den Strand zu seiner Spielgefährtin.

Wir richteten das Fernglas wieder auf Lucas. Der saß verdattert da und betrachtete den Brief in seinen Händen. Schließlich faltete er das Blatt auseinander und las.

Als er wieder aufblickte, sah er ziemlich erschrocken aus und schaute sich um. Dann stand er auf und lief in die Richtung, in die der Kleine verschwunden war.

»Ach, du Schande«, sagte Karli. »Der will ihn ausquetschen. Hoffentlich hält der dicht!«

Das hoffte ich auch.

Es dauerte nicht lange, bis Lucas den Kleinen gefunden hatte. Der erschrak mächtig, als Lucas ihn ansprach.

Ich sah, wie Lucas auf den Jungen einredete.

Wir hielten die Luft an.

Aber alles lief prima. Der Kleine kniff die Lippen zusammen und zuckte mit den Schultern. Dabei sah er Lucas sogar noch ins Gesicht. Der redete weiter, aber da war nichts zu machen. Der Kleine blieb stumm wie ein Fisch. Schließlich schimpfte Lucas und trat mit dem Fuß in den Sand, dass es nur so staubte. Dann drehte er sich um und stapfte zurück zu seinem Platz.

Der Kleine schaute ganz kurz zu uns hoch, dann drehte er sich um, zeigte seiner Freundin das Geldstück und die beiden rannten über die Wiese zum Eiswagen.

Ich legte das Fernglas zur Seite.

»Der Kleine ist gut«, sagte ich. »Er hat echt dichtgehalten.«

»Ja«, sagte Karli anerkennend. »Aus dem kann mal ein ordentlicher Verbrecher werden!«

Jetzt war alles vorbereitet.

Heute Abend würden wir den großen Coup landen!

... 3: Ein großer Schwur

Nach dem Abendessen saßen wir zusammen draußen vor dem Wohnwagen, Karli, Papa, Opa und ich.

Meine Armbanduhr zeigte halb neun. Wir mussten vor Lucas im Wäldchen sein, damit er uns nicht schon gleich sah.

Ich hustete und zwinkerte Karli zu. Er nickte fast unmerklich und schluckte.

»Oh«, rief er auf einmal und schaute auf seinen Arm. »So ein Mist!«

Papa sah auf.

»Was ist denn?«, fragte ich, gespielt ahnungslos.

»Meine Armbanduhr ist weg!«, quietschte Karli. »Die habe ich von Papa zum Geburtstag bekommen, sie ist fast neu!«

»Vielleicht liegt sie im Wohnwagen?«, fragte Papa. »Wenn du sie zum Schlafen ausgezogen hast …«

»Nein!«, rief Karli und sprang auf. »Ich weiß, wo sie ist! Ich habe sie heute Mittag am See neben die Strandmatte ins Gras gelegt, als wir schwimmen gegangen sind.« Er verdrehte die Augen.

»Stimmt!«, rief ich. »Ich erinnere mich dran. Du hast sie neben den großen Stein gelegt, der aussieht wie eine Schweinenase!« Ich war stolz darauf, dass mir so was eingefallen war. Es klang sehr überzeugend.

»Vielleicht findet ihr sie ja wieder«, sagte Papa.

Das war unser Stichwort.

»Genau, lass uns schnell runterlaufen!«, sagte ich zu Karli und sprang ebenfalls auf.

»Jetzt noch?«, fragte Papa.

»Klar«, sagte ich. »Es ist noch hell, und wer weiß, ob die Uhr morgen noch da liegt!«

Papa nickte. »Von mir aus«, sagte er. »Aber treibt euch nicht noch ewig in der Gegend herum!«

»Nein, nein«, versicherte Karli mit Unschuldsmiene. »Wenn wir die Uhr haben, kommen wir gleich zurück.«

»Komm«, sagte ich und steuerte schon auf das Tor zu. »Kann ja sein, dass wir ein bisschen suchen müssen!«

Karli folgte mir.

Wir liefen ein Stück den Schotterweg hinunter, bis wir außer Hörweite waren.

»Mann, bin ich aufgeregt«, quietschte Karli. »Hoffentlich kommt Lucas auch!«

»Ach, klar kommt der«, sagte ich. Mir war ein bisschen mulmig zumute. Immerhin würden wir unserem Erzfeind gegenüberstehen!

Aber ich dachte daran, dass wir danach endgültig unsere Ruhe vor den Fabs haben würden, wenn alles lief wie geplant. Und außerdem machte es Spaß, endlich einmal selbst derjenige zu sein, der die Fäden in der Hand hielt.

Als wir am Wäldchen ankamen, hörten wir auf zu reden und flüsterten nur noch leise miteinander. Es war Viertel vor neun. Lucas würde gleich hier sein. Ich zog den zusammengefalteten Umschlag aus der Hosentasche, klappte ihn auf und stellte ihn gut sichtbar an die große Kiefer, zu der wir Lucas bestellt hatten.

Jetzt suchten wir noch zwei geeignete Bäume, hinter denen wir uns verstecken und gleichzeitig Lucas gut beobachten konnten. Sie mussten auch so stehen, dass Lucas an uns vorbeikam. Sonst würde unser Plan nicht so richtig funktionieren. Karli stellte sich hinter eine Tanne, deren Zweige ziemlich dicht über dem Boden hingen. Ich fand einen großen Busch ein paar Meter weiter, der mich verdecken würde.

So langsam wurde ich doch nervös. Es war noch hell, aber man merkte, dass die Nacht bald kommen würde. Die Schatten unter den Bäumen waren sehr dunkel und der Mond stand schon am Himmel. Ein paar Mücken surrten um mich herum. Ab und an knackten ein paar Zweige, sonst war alles still. Karli sah ganz schön nervös aus. Er kratzte sich dauernd hinterm Ohr.

Auf einmal hörten wir Schritte. Jemand kam über den Waldweg in unsere Richtung. Automatisch spannte ich alle Muskeln an und mein Herz schlug schneller. Karli hörte auf, sich zu kratzen, und drückte sich an den Baumstamm. Durch die Äste konnten wir Lucas' rotes T-Shirt erkennen. Ich hielt die Luft an. Aber alles lief glatt, wir hatten uns gut getarnt. Jetzt war Lucas an der großen Kiefer angelangt. Er schaute sich suchend um und wartete. Es dauerte eine Weile, bis er auf den Boden sah. Der Umschlag leuchtete hell vor dem dunklen Stamm. Lucas bückte sich und hob den Umschlag auf. Er sah sich noch einmal suchend um, wartete kurz und nahm den Brief heraus. Wir konnten leider sein Gesicht nicht sehen, während er las.

Wir wissen, dass Du hier bist und nicht auf Bali. Wäre schade, wenn die ganze Schule das erfahren würde. Vor allem Deine coolen Freunde und Aline. Wir haben auch Beweisfotos. Sieht nicht cool aus, wie Du Deine Mami eincremst. Aber wir sind ja keine Unmenschen. Also hier unser Vorschlag: Kein Wort mehr wegen der Schwimmbadaktion, keine anderen Gemeinheiten mehr. Weder von Dir noch von den anderen Fabs. Du musst schwören, dass Ihr uns in Ruhe lasst. Dann wird auch niemand etwas von uns erfahren.

Wenn Du einverstanden bist, mach die Schwurfinger hoch. Und sag: Ich schwöre.

Wir sehen Dich.

Martin und Karli

Lucas drehte sich so schnell um, dass seine Haare wehten.
Seine Augen flackerten unruhig zwischen den Ästen hin und her. Er war ganz blass.
Ich sah Karli an.
Der nickte.
Dann traten wir aus unseren Verstecken hervor.
Lucas' Augen wurden riesig groß und sein Mund stand offen.
Es kam aber kein Wort heraus. Ich stemmte die Arme in die Hüften und legte den Kopf ein wenig schief.
»Na?«, sagte ich.
Lucas schluckte.
Dann hob er den Arm und streckte zwei Finger nach oben.
»Ich schwöre«, sagte er leise.
»Lauter«, piepste Karli.

»Ich schwöre«, sagte Lucas laut.

»Gut«, sagte ich und sah Karli an.

Wir drehten uns wortlos um und gingen langsam auf dem Waldweg zurück. Obwohl wir uns nicht mehr umdrehten, wusste ich, dass Lucas uns nicht sofort folgen würde.

Er würde bestimmt noch eine Weile im Wäldchen stehen bleiben und verdauen, was gerade geschehen war.

Karli und ich hingegen fingen an zu jubeln, sobald wir den ersten Schotterweg erreicht hatten.

»Jippieh!«, rief Karli und wedelte mit den Armen. »Nie wieder Ärger mit den Fab-Five!«

»Wir haben für immer unsere Ruhe!«, jubelte ich und

machte einen Luftsprung. Das ging erstaunlich leicht, stellte ich fest.

Ich sah an mir hinunter. Der Bauch war viel kleiner als noch vor zwei Wochen.

Als wir auf unser Grundstück kamen, schaute Papa auf.

»Und?«, fragte er gespannt.

»Sensationell!«, jubelte ich.

Zum Glück schaltete Karli schnell, als Papa etwas verwirrt guckte, und zog seine Armbanduhr aus der Hosentasche.

»Wir haben sie gefunden«, sagte er. »Sie war immer noch da, wo wir sie heute Mittag vergessen hatten!«

Das war noch nicht mal gelogen.

»Prima«, sagte Papa. »Was für ein Glück, dass ihr noch mal zurückgegangen seid.«

»Ja, was für ein Glück«, sagte Karli.

Wir kicherten in uns hinein und verzogen uns dann schnell in unser Zelt.

»Mann, das war eine coole Aktion«, sagte Karli.

»Das kannst du laut sagen«, meinte ich.

Wir unterhielten uns über unseren Triumph, bis uns die Augen zufielen.

... 2: Tag am Strand

In den nächsten Tagen bekamen Karli und ich Lucas nicht zu Gesicht. Wir schauten zwar immer wieder mal bei Lucas' Grundstück vorbei, wenn wir auf dem Weg zum See waren, aber wir konnten nichts Neues entdecken. Meist war gähnende Leere auf der Wiese, nur einmal saßen Lucas' Eltern auf Liegestühlen. Von Lucas keine Spur.

Wir sahen ihn erst ein paar Tage später wieder unten am See. Karli und ich lagen auf einer großen gelben Matte, die Papa in einem kleinen Strandgeschäft gekauft hatte. Neben uns, auf einer roten Matte, saßen Luna und Stella und spielten Karten. Tja, Karli und ich waren dabei, coole Jungs zu werden. Einfach so. Ich verstand zwar nicht ganz, warum, aber Luna und Stella hingen jetzt fast immer mit Karli und mir rum.

Ihre beiden großen Brüder, Benedikt und Julius, blieben fast die ganze Zeit auf dem Grundstück und machten Musik. Die Eltern hatten wir gar nicht mehr gesehen, die waren meistens mit dem kleinen Bruder, den wir auch noch nicht kannten, unten am Strand, wo Karli und ich vorher gelegen hatten. Jetzt, wo wir immer mit Luna und Stella unterwegs waren, lagen wir am anderen Strand, in der Ecke des Sees, wo auch die Sprungbretter waren. Justus, der Sportfreak-Bruder, ging uns mächtig auf die Nerven. Er rannte den ganzen Tag um den See oder schwamm von einem Ufer zum anderen oder machte einen Salto vom Sprungbrett, wie jetzt gerade.

»Irre«, sagte ich.

»Mmh«, sagte Karli.

Als Justus Richtung Ufer schwamm, kletterte ein anderer Junge aufs Sprungbrett.

Lucas.

»Nee«, sagte ich. »Jetzt kommt bestimmt eine Megashow.«

Es lagen einige Mädchen am Strand rum. Klar, dass Lucas da auf Superheld machte.

Luna und Stella sahen auf und schauten hinüber.

Lucas rannte los und schlug einen doppelten Salto.

»Oje«, sagte Stella. »Der ist ja noch bescheuerter als Justus.«

Sie schüttelte den Kopf und beugte sich wieder über die Karten in ihrer Hand.

Hä?

»Findet ihr den nicht megacool?«, fragte Karli.

»Den?«, sagte Luna. »Nein, danke. Mir reicht es völlig, dass ich so einen bekloppten Bruder habe. Der macht seit seiner Geburt nichts anderes, als herumzustolzieren und cool zu sein.« Sie verdrehte die Augen.

»Was Jungs immer mit Sport haben«, murmelte Stella. »Wen interessiert denn Sport?«

Karli und ich sahen uns an.

Ich sah, dass er genau dasselbe dachte wie ich.

Warum hatten wir Kopfsprung geübt und schwimmen und

wollten sogar Fußball spielen lernen, wenn die schönsten Mädchen das gar nicht so cool fanden?

»Äh«, sagte ich zu Luna. »Finden Mädchen Supersportler nicht total cool?«

»Keine Ahnung«, sagte sie. »Ich jedenfalls nicht. Die Megazicke Marie schon.«

»Wer is'n das?«, nuschelte Karli mit roten Ohren (er kriegte immer noch rote Ohren, wenn er mit Stella redete).

»Ach, die eingebildetste Kuh in unserer Klasse. Die himmelt Fabian an, unseren Starsportler. Besonders helle ist der aber nicht.«

»Marie auch nicht«, sagte Luna und kicherte.

Warum Mädchen immer so albern kichern, muss mir auch noch mal jemand erklären.

»Ich dachte, alle Mädchen stehen auf Sportler«, sagte ich. Ich war so verblüfft, dass ich sogar vergaß, meinen Bauch einzuziehen. (Wenn Luna guckte, zog ich den Bauch immer ein. Ich konnte sogar währenddessen reden.)

»Quatsch«, sagte Luna wieder. »*Musiker* sind cool.«

Stella nickte. Ich sah genau, dass sie Karli von der Seite betrachtete.

Der wurde komplett rot. Sogar am Bauch bekam er rote Flecken. Wahrscheinlich sang er in seiner Fantasie gerade auf einer Riesenbühne eine Ballade für Stella.

Zu Hause nehmen wir Gitarrenunterricht, dachte ich. *Und ich lerne Schlagzeug.*

Der Tag wurde immer besser.

Besonders, als kurz darauf Lucas vorbeischlenderte und Luna und Stella angrinste. Die beachteten ihn gar nicht. Und dann sah Lucas Karli und mich. Neben Luna und Stella.

»Hi«, sagte ich so lässig wie möglich.

Karli hob nur die Hand.

Lucas sah aus, als hätte er gerade den Weihnachtsmann auf dem Osterhasen vorbeireiten sehen.

Jaaaaaaaa! Jaaaaaaaaaaaaaaaaaa!

Er quetschte ein »Hallo« hervor und wurde rot. Lucas wurde tatsächlich rot!

»Du stehst mir in der Sonne«, sagte Luna.

»Sorry«, murmelte Lucas und ging weiter.

Ich sah aus dem Augenwinkel, dass er sich noch zweimal umdrehte.

Später kamen noch die Eltern der Mädchen mit dem Labrador Snatch im Schlepptau und beladen mit zwei Riesentüten und ordentlich viel anderem Kram.

»Wir haben keine Lust mehr auf den Strand dahinten«, sagte Frau Sonnenfeld. »Wir dachten, wir leisten euch mal ein bisschen Gesellschaft und bauen eine eigene Strandbar.« Sie rammte energisch eine Stange in den Boden.

»Und wir dachten, ihr könntet kalten Fruchtsaft vertragen«, sagte Herr Sonnenfeld und stellte die mitgebrachte riesige Glasschüssel auf den Klapptisch. In der himbeerroten Flüssigkeit schwammen bestimmt zwanzig Eiswürfel. Frau Sonnenfeld verteilte Erdbeertörtchen auf Pappteller.

Es dauerte nicht lange, bis Justus angerannt kam (»Der riecht Essen auf zehn Kilometer Entfernung«, hatte Luna letztens gesagt), und von der anderen Seite kam ein kleiner Junge von ungefähr sieben oder acht Jahren herangeschossen. Snatch verschwand in einer riesigen Sandwolke, als der Kleine bremste und knapp vor uns zum Stehen kam.

Er hatte rote Locken, die ihm wirr vom Kopf abstanden, und Millionen von Sommersprossen. Es war unser Botenjunge!

»Hallo«, sagte er und legte den Kopf schief.

»Hallo«, sagte ich.

Karli legte den Finger auf die Lippen und sah den Kleinen warnend an.

»Das ist Kringel«, sagte Luna und zauste dem Kleinen die roten Locken. »Unser kleiner Bruder. Ein richtiger Strolch!«

»Oh ja«, sagte ich und grinste. »Das kann ich mir vorstellen!«

Kringel grinste auch.

Dann drehte er sich um und hüpfte zur Strandbar. »Hungeeeer!«, brüllte er fröhlich, schnappte sich zwei Erdbeertörtchen und raste wieder davon. Dabei hüpfte er über ein Pärchen, das auf einem Handtuch döste. Er verfehlte es zwar knapp, aber der Sand, der an ihm geklebt hatte, rieselte den beiden auf den Kopf. Der Mann schaute hoch und sah sich verdutzt um.

»Kringel, pass auf!«, rief Frau Sonnenfeld ihm hinterher.

»Pssst«, sagte Herr Sonnenfeld. »Sonst weiß jeder, dass er zu uns gehört. Wer weiß, was es kostet, wenn er wieder etwas anstellt! Es reicht schon, dass Benedikt und Julius den ganzen Campingplatz mit ihrer Musik beschallen!«

»Würde mich nicht wundern, wenn wir heute Abend zurückkommen und nur noch ein leeres Grundstück vorfinden«, sagte Frau Sonnenfeld. »Der alte Herr eben sah so aus, als würde er Benedikt und Julius höchstpersönlich nach Hause tragen, wenn sie ihm weiterhin mit ihrer Musik auf den Keks gehen. Vielleicht schiebt er auch unsere Wohnmobile in den See.«

»Vorhin ist nämlich ein älterer Herr auf unserem Grundstück aufgetaucht und hat laut und deutlich gesagt, was er von jugendlichen Krawallmachern hält«, sagte Herr Sonnenfeld und grinste. »Ich glaube, er hätte am liebsten unseren zwei Jungs eins mit seinem Stock übergezogen.«

Mir wurde heiß.

»Ich muss sagen, ich kann ihn verstehen«, sagte Frau Sonnenfeld und lachte. »Die beiden können nicht mal eine Stunde die Finger von ihren Instrumenten lassen. Und für sein Alter war der Mann sehr rüstig.« Sie klang ziemlich beeindruckt.

Wieso war von Opa jeder beeindruckt? Denn dieser alte Herr musste Opa gewesen sein, da war ich mir ganz sicher. Das, was die beiden erzählten, passte zu ihm wie die Faust aufs Auge.

»Cool hier«, sagte Luna und schaute auf die provisorische Strandbar, die Frau Sonnenfeld gebaut hatte. Vier Holzpfähle steckten im sandigen Boden, darüber lag eine rote Plane.

»Fast wie in 'nem gigantischen Zelt«, quiekte Karli. Er schielte Stella an und bekam prompt rote Flecken im Gesicht.

Da hatte ich eine sensationelle Idee.

»Wie wär's denn, wenn wir alle zusammen zelten würden?«, rief ich aufgeregt. »In unserem Wäldchen?«

Stella und Luna sahen sich an.

»Cool«, sagte Stella. »Aber nur wir vier. Kringel nervt und Justus …«

Sie sagte nichts mehr, als sie Justus' Blick sah.

»Ich komme auch mit«, sagte er. »Überlebenstraining!«

»Genau«, sagte Luna und verdrehte die Augen. »Weil im Wäldchen ja so viele Gefahren lauern.«

Wir hatten noch keine Ahnung, dass in dieser Nacht im Wäldchen tatsächlich etwas geschehen würde, das Karlis und mein Leben verändern sollte.

... I: Achtung ...

Karli und ich drehten ganz schön am Rad, als wir die Sachen zusammenpackten, die wir fürs Zelten brauchen würden.

»Wir gehen zelten«, quietschte Karli und angelte seine Taschenlampe unter der Sitzbank des Wohnwagens hervor.

»Mit den Mädchen!«

»Und dem bekloppten Sportler«, sagte ich.

Lunas und Stellas Eltern hatten darauf bestanden, dass Justus mitdurfte, wenn er wollte. Und er wollte.

»Wir können ihm ja ein paar Gruselgeschichten erzählen. Dann rennt er wieder zurück.« Karli grinste.

Die Mädchen hatten erzählt, dass Justus sich vor unheimlichen Dingen fürchtete.

»So langsam glaube ich, die ganzen coolen Sportler sind gar nicht so cool«, sagte ich. »Lucas ohne seine Freunde ist nur ein halber Mensch. Und Justus der Irre (so nannten ihn seine Schwestern) macht sich in die Hosen, wenn man nur Gespenst sagt. Wie ein Kindergartenkind.«

Wir lachten uns halb schief.

Papa streckte den Kopf zum Wohnwagen herein.

»Na, freut ihr euch aufs Zelten?«

»Jau«, sagte ich.

»Beeilt euch«, sagte Papa. »Wir müssen gleich los!«

Papa wollte nämlich mit zu den Sonnenfelds gehen, um dort zu Abend zu essen. Er hatte Lunas und Stellas Eltern mittags am Strand kennengelernt, als er zum Schwimmen heruntergekommen war. Die drei hatten sich bestens verstanden.

Karli und ich packten also unseren restlichen Kram im Formel-1-Tempo und sprangen vollbepackt die Treppe hinunter.

»Na endlich!«, rief Opa. »Wir müssen los. Wir sind um sieben verabredet und es ist fünf vor!«

Er tockte seinen Stock unternehmungslustig auf den Boden.

»Wie, *wir*?«, sagte ich. »*Papa* kommt mit. Du doch nicht, oder?«

»Ja, aber klar komme ich mit«, sagte Opa. »Ich sitze doch nicht den ganzen Abend hier rum und langweile mich!«

Ich sah Papa an.

Der zuckte resigniert mit den Schultern.

»Wir können schon mal üben, im Boden zu versinken«, flüsterte ich Karli zu. »Wenn die Sonnenfelds sehen, dass der grantelige Alte, der ihre Söhne heute Mittag zur Schnecke gemacht hat, mein Opa ist, sterbe ich!«

Ich starb nicht.

Als Opa die Sonnenfelds sah, rief er: »Ah, die Eltern von den Radaubrüdern! Guten Abend!« Er lachte meckernd wie eine Ziege.

Papa sah aus, als würde er am liebsten gleichzeitig schrumpfen und Opa auf den Mond schießen wollen. Die Eltern von Luna und Stella lachten aber mit Opa und Papa entspannte sich wieder ein bisschen.

»Seid ihr fertig?«, fragte Stella. Sie trug ein rosa Bündel unter dem Arm.

Ein rosa Zelt?? Oje.

»Ja-ha«, quietschte Karli.

Justus hatte sich Hanteln an den Rucksack gehängt.

Justus der Irre, dachte ich. *Passt.*

Wir machten uns auf den Weg.

»Viel Spaß!«, riefen die Erwachsenen hinter uns her.

Als es ans Zeltaufbauen ging, war ich dankbar dafür, dass Karli das offenbar nicht zum ersten Mal machte. Eigentlich sah es nicht allzu schwer aus, aber ich hätte überhaupt keine Ahnung gehabt, wie man überhaupt anfängt. Das war schlecht, denn blöderweise hatten wir gegen die Mädchen gewettet, die behauptet hatten, ihr Zelt viel schneller aufbauen zu können als Karli und ich. Ich stand Karli mehr im Weg, als dass ich ihm half, aber als er anfing, mich herumzukommandieren, funktionierte es ganz gut. Die Mädchen wollten Justus dazu bewegen, ihnen zu helfen, aber der hatte gesagt, grobe Arbeiten mit unregelmäßigen Bewegungen wären nichts für seine auf Ausdauer trainierten Sportlermuskeln. Alles, was er tat, war, seinen Schlafsack auf den Boden zu legen, sich draufzusetzen und uns beim Aufbauen zuzusehen.

Wir waren gerade dabei, den dritten Hering in den Waldboden zu klopfen, als Luna »Fertig!« schrie.

Wir hatten tatsächlich gegen die Mädchen verloren! Welche Schande!

»Tja«, sagte Stella. »Dann müsst ihr also das Lagerfeuer machen. Hervorragend!«

Das war das erste Mal, dass ich dankbar für Opas Pfadfinderbuch war. So wussten Karli und ich nämlich genau, welches Holz man dafür brauchte.

Wir trugen kleine trockene Späne zusammen, Luna und Stella sammelten einen ordentlichen Armvoll Reisig und zu guter Letzt schleifte ein schlecht gelaunter Justus ein paar große Äste an.

»Tut mir leid«, sagte ich. »Da musst du wohl noch mal gehen. Das Zeug hier brennt nicht.«

Justus hatte vermooste, feuchte, runde Äste aufgelesen.

»Das Holz muss trocken sein und die Äste am besten kantig oder halbrund«, sagte ich.

»Stimmt«, sagte Luna.

Tja, hier stand ich nun, Martin mit den blauen Augen, einem fast schon hinreißenden Körper (meine Hose saß immer lockerer) und absolut überlebensfähig in der rauen Wildnis. *Ein richtiger Kerl.*

Justus interessierte sich überhaupt nicht für den richtigen

Kerl. Er maulte eine Weile herum, bevor er schließlich doch noch mal im Wald verschwand.

»Furchtbar«, sagte Luna. »Justus läuft jeden Tag freiwillig hundert Runden um den Sportplatz, aber er ist zu faul, fünf Meter durch den Wald zu gehen und Holz zu holen.«

»Der hat nur Coolsein im Kopf«, stöhnte Stella.

»Tstststs«, sagte ich und zuckte mit den Schultern.

»Wer's nötig hat«, quietschte Karli.

Dann musste er husten. Ich erstickte fast bei dem Versuch, nicht laut loszulachen.

Auf einmal kam es mir richtig albern vor, wie wir die ganze Zeit versucht hatten, diesem Blödmann Lucas nachzueifern. Das hatten wir doch überhaupt nicht nötig!

Nachdem wir genug Holz gesammelt hatten, gingen wir runter zum Strand. Die Mädchen schleppten Körbe mit belegten Brötchen und Saft, die sie von ihren Eltern mitbekommen hatten. Karli und ich trugen Matten, auf denen wir alle sitzen konnten, und Justus ließ sich tatsächlich dazu herab, das Feuerholz in einer Tüte hinter sich herzuschleifen.

Als wir am Strand ankamen, war es schon halb neun und fast ganz leer.

Dank Opas Pfadfinderbüchern hatten Karli und ich glücklicherweise einen Plan, wie es mit dem Feuermachen funktionierte.

Zuerst schütteten wir die Späne auf, darauf warfen wir dann das Reisig und zum Schluss legten wir die kantigen Äste obendrauf.

Ich hielt ein Streichholz an die Späne und es fing an zu knistern. Gleich beim ersten Versuch!

»Cool, so ein Lagerfeuer«, sagte Luna. »Das machen wir zu Hause in unserem Garten auch oft.«

Ich hätte nie gedacht, dass schöne Mädchen Lagerfeuer cool finden könnten.

Tja, eine Viertelstunde später fühlte ich mich wie im Paradies.

Vor mir ein flackerndes Lagerfeuer, hinter mir ein riesiger See, neben mir mein bester Freund und gegenüber das weltschönste Mädchen, das mich für cool hielt. Na ja, zumindest nicht für uncool. Und in der Hand hatte ich eine riesige Wurstsemmel.

»Genau so soll Sommer sein«, sagte Luna zufrieden.

Stella nickte, den Mund voll Käsebrötchen.

Als es dunkel wurde, fingen wir an, uns gegenseitig Gruselgeschichten zu erzählen.

»Gruselgeschichten sind für kleine Kinder«, maulte Justus.

»Na, dann sind sie ja genau das Richtige für dich«, sagte Luna. »Spitz mal schön die Öhrchen.«

»Also«, begann Stella. »Meine Oma ist im Wald spazieren gegangen, vorletzten Winter, mit ihrem Pudel Poldi. Es war schon ziemlich dunkel. Der Pudel hatte gerade sein Geschäft gemacht und sie wollte zurückkehren, als Poldi auf einmal stehen geblieben ist und die Ohren hochgestellt hat. Meine Oma hat gedacht, er hat ein Waldtier gehört oder so. Der Pudel wollte nicht weitergehen. Sie hat an der Leine gezerrt, aber er hat sich keinen Zentimeter bewegt. Er hat angefangen zu zittern und nach vorne gestarrt. Und da, auf dem Weg, stand einer. Ganz in Schwarz gekleidet.«

Ich bin normalerweise kein Angsthase, aber das fand ich wirklich schaurig. Mittlerweile war es dunkel geworden. Außer uns war niemand mehr hier, alle waren auf ihren Grundstücken und lachten und feierten. Hier unten am Strand war es ganz still, nur das Feuer knisterte.

»Die Oma hat sich ordentlich erschreckt«, erzählte Stella weiter. »Der Mann stand einfach da und hat sie angestarrt. Er trug eine Kapuze und die Oma konnte nicht mal seine Augen sehen.«

»Quatsch«, sagte Justus. Seine Stimme zitterte.

»Wohl«, sagte Stella. »Aber das Schlimmste kommt noch. Auf einmal ist der Mann losgerannt. Genau auf die Oma zu. Dann hat der Pudel gebellt wie verrückt, und der Mann war so nahe, dass Oma sein Gesicht sehen konnte. Es war ein Totenschädel. Der Oma ist fast das Herz stehen geblieben und Poldi hat gejault.«

Stella machte eine kurze Pause. Justus sah aus, als ob er sich gleich in die Hosen machen würde.

»Was ist dann passiert?«, quiekte Karli. Er war so aufgeregt, dass seine Stimme klang wie ein Stück Kreide, das über die Tafel girkst.

»Dann«, sagte Stella, »als der Mann so nahe war, dass Oma seinen Atem hätte spüren können, hat er die Hand nach ihr ausgestreckt.«

Justus, der coole Starsportler, steckte sich doch tatsächlich die Finger in die Ohren!

»Und dann ist der Mann einfach so durch Oma hindurchgeglitten. Einfach so. Sie konnte sich vor Schreck gar nicht mehr rühren. Sie hat sich erst ein paar Minuten später getraut, sich umzusehen. Der unheimliche Mann war weg. Und der Oma ist eiskalt gewesen. Sie hat den Pudel auf den Arm genommen und ist, so schnell sie konnte, nach Hause gerannt.«

Huargh, das war echt gruselig.

»Wow«, sagte ich. »Und das ist wirklich passiert?«

Stella nickte.

Mir schauderte.

Als wir das Feuer gelöscht hatten und uns auf den Weg zurück Richtung Wäldchen machten, hielten wir uns alle dicht beisammen. Wir redeten über andere Dinge, Schule und so, aber trotzdem war jedem ein bisschen unheimlich zumute, das wusste ich. Nach ein paar Minuten kamen wir an den Grundstücken vorbei.

»Hier ist ja noch richtig was los«, quietschte Karli.

Ich hörte, wie erleichtert er war.

Es war sicher schon elf Uhr, aber überall saßen noch Leute zusammen und unterhielten sich.

Ich muss gestehen, für einen Moment überlegte ich, wie gemütlich es doch in unserem kleinen, engen, stickigen Wohnmobil wäre. Aber dann dachte ich wieder daran, wie cool es sein würde, im Zelt zu übernachten, ganz ohne Erwachsene. Und überhaupt, vor den Mädchen zu schwächeln, kam ja wohl gar nicht infrage!

Dachte *ich* jedenfalls.

»Äh«, sagte Justus, als wir an der Kreuzung vorbeikamen, die nur acht Grundstücke vom Grundstück der Sonnenfelds entfernt war. »Ich glaube, ich könnte mich verkühlen, wenn ich im Wald schlafe«, sagte er und blieb stehen.

Luna zog die Augenbrauen hoch.

»Ich war heute zu lange im Wasser, glaube ich«, sagte Justus

233

und schluckte. »In zwei Wochen habe ich einen Wettkampf. Da darf ich auf keinen Fall krank sein.«

»Dass ich nicht lache«, sagte Luna. »Du hast Angst davor, im Wald zu schlafen. Du bist eine Memme, das ist alles!« Ich wäre an Justus' Stelle eher freiwillig einem Gespenst in die Arme gelaufen, als mich so vor allen zu blamieren. Justus war vielleicht ein guter Sportler mit den richtigen Klamotten, aber er hatte die Hosen voll.

»Gar nicht«, sagte er. »Du hast nur keine Ahnung. Ich geh dann mal. Bis morgen. Tschüs!«

Er winkte uns zu und rannte los, als wäre der Teufel hinter ihm her.

Stella sah ihm fassungslos nach.

»Was für ein Feigling«, sagte sie. »Ich hätte gute Lust, heute Nacht als Hexe verkleidet neben seinem Bett aufzutauchen!«

Wir lachten alle, während Justus der Irre hinter den Hecken verschwand.

... 1/2: ... fertig ...

Als wir die belebten Grundstücke hinter uns gelassen hatten und an den Waldrand kamen, verging uns das Lachen allerdings ein bisschen. Es war auf einmal sehr still, und wir mussten unsere Taschenlampen anmachen, um den kleinen Waldweg zu finden. Unsere Zelte standen zwar so nah am Rand, dass wir sie im Tageslicht schon von hier aus gesehen hätten, aber in der Nacht schien es, als wären wir am Ende der Welt angelangt.

»Wir können ja noch ein bisschen Karten spielen«, schlug Karli vor. Er hatte sicher genauso wenig Lust wie ich, jetzt schon im dunklen Zelt zu liegen und den unheimlichen Geräuschen draußen zu lauschen.

»Au ja!«, sagten die Mädchen gleichzeitig.

Wir hängten die große Lampe, die Papa uns mitgegeben hatte, an einen dicken Ast über die Wiese vor dem Zelteingang. Nun konnten wir zwar die Zelte und uns selbst ganz gut sehen, aber alles außerhalb des Lichtkegels war in umso tieferer Finsternis versunken. Überall hörte man es knacken. Aber immerhin, wenn man sich auf die Zehenspitzen stellte, konnte man weiter hinten die Lichtkreise erkennen, die die Lampen auf dem Campingplatz warfen.

Wir setzten uns auf unsere Schlafsäcke und begannen, eine

Partie Mau-Mau zu spielen. Es war sensationell, mit zwei schönen Mädchen hier zu sitzen, als wäre es das Normalste der Welt. Wenn mir das jemand vor ein paar Wochen erzählt hätte, ich hätte es niemals geglaubt. Ich fühlte mich großartig.

Luna hatte mir gerade eine Piksieben hingelegt, und ich ärgerte mich, dass ich zwei Karten aufnehmen musste, als wir Gebrüll hörten. Man konnte zwar nichts verstehen, dazu war es zu weit weg, aber freundlich klang es nicht.

»Huch«, sagte Luna.

Plötzlich hörten wir ganz deutlich Zweige knacken.

Stella zuckte zusammen.

»Was ist das denn?«, flüsterte sie und schaute in die Richtung, aus der das Knacken kam.

Es kam vom Waldweg.

Ich kriegte eine Gänsehaut.

Und in diesem Moment hörten wir, dass jemand auf uns zugerannt kam. Bevor ich noch darüber nachdenken konnte, wer außer einer schwarz gekleideten Gestalt mit Totenkopfgesicht um diese Uhrzeit hier im Wald herumrennen könnte, tauchte hinter Stella eine Gestalt auf.

Sie blieb abrupt am Rand des Lichtkreises stehen. Ich konnte nichts erkennen. Man hörte nur ein Keuchen.

»D-d-da«, sagte ich und zeigte mit dem Finger auf das, was da stand und schwer atmete.

Alle starrten wie gebannt auf die Gestalt, die jetzt in den Lichtkreis trat.

Ich wartete nur darauf, einen Totenschädel zu sehen und vor Schreck einen Herzschlag zu bekommen.

Das, was dann im Licht der Lampe erleuchtet wurde, war aber kein Totenschädel.

Es war Lucas' Gesicht.

Ich weiß nicht, wer erschrockener guckte, er oder wir. Noch bevor jemand etwas sagen konnte, hörten wir wieder das Brüllen. Man konnte deutlich eine wütende Männerstimme ausmachen. Ich wusste sofort, wer da brüllte.

Lucas blieb stehen wie angewurzelt, er wandte nur den Kopf in die Richtung, aus der das Gebrüll kam, und dann schaute er wieder zu uns. Seine Augen waren riesig groß. Unter dem rechten war ein blauer Fleck zu sehen.

»Wo bist du, verdammte Brut«, hörten wir den Mann rufen.

Er konnte nicht mehr weit weg sein.

Ich sprang auf.

»Los, da rein!«, zischte ich Lucas zu und deutete auf unser Zelt. »Mach schon!«

Karli schaltete schnell und öffnete den Reißverschluss.

Lucas zögerte einen winzigen Moment, dann sprang er wie ein gehetztes Tier an uns vorbei und verschwand im Zelt. Karli zog den Reißverschluss runter und ließ sich wieder neben mich auf den Boden fallen.

Keine Sekunde zu früh.

Es knackte.

Lucas' Vater stand vor uns.

Sein Gesicht war vor Wut so verzerrt, dass es tatsächlich fast einem Totenkopf glich.

»Habt ihr einen Jungen vorbeilaufen sehen?«

Wir schüttelten den Kopf.

»Nein«, sagte ich.

Lucas' Vater kniff die Augen zusammen und betrachtete mich misstrauisch. »Dich kenne ich doch von irgendwoher … Bist du nicht in der Klasse von meinem Sohn?« »Stimmt«, sagte ich. Klar, er konnte sich an mich genauso gut erinnern wie ich mich an ihn. Zumal ich ja nicht gerade unauffällig bin und das letzte Klassenfest noch nicht allzu lange her war. »Wo ist Lucas?«, fragte er. »Er muss hier vorbeigekommen sein. Hier verläuft der Weg.« »Keine Ahnung«, sagte ich. »Wir haben ihn nicht gesehen.«

Dieser Kerl war so widerlich, dass ich überhaupt kein Problem damit hatte, zu lügen.

»Wenn wir sagen, dass er nicht hier war, war er nicht hier«, hörte ich Karlis hohe Stimme. »Dahinten hat was geraschelt, aber gesehen haben wir nichts.« Karli deutete auf einen unbestimmten Punkt in der Finsternis.

Lucas' Vater musterte uns. Ich merkte, dass er uns nicht glaubte.

Ich nahm all meinen Mut zusammen.

»Wenn Sie wissen, dass ich in Lucas' Klasse bin, dann wissen Sie sicher auch, dass wir keine Freunde sind. Im Gegenteil, man könnte auch sagen, wir sind Todfeinde. Warum sollten wir ihn also verstecken?«

»Genau!«, sagte Karli. »Wir hätten ihn höchstens festgehalten und auf Sie gewartet.«

Der Mann verzog sein Gesicht zu einer Grimasse und lachte verächtlich.

»Was soll's«, sagte er und sah Karli und mich mit einem widerlichen Grinsen an. »Von mir aus kann er abhauen, wohin er will. Der taucht schon wieder auf, wenn er Hunger hat.«

Er drehte sich brüsk um und stapfte zurück in Richtung der Grundstücke. Es raschelte noch einmal, dann hörten wir ein paar schwere Schritte über knackende Äste, die immer leiser wurden, bis schließlich alles wieder so still war, als wäre nie etwas geschehen.

Luna fand als Erste die Worte wieder.

»Was für ein unglaubliches Ekel«, sagte sie.

Ich ging zu unserem Zelt.

»Du kannst rauskommen«, sagte ich und zog den Reißverschluss auf.

Ich konnte Lucas im Halbdunkel kaum erkennen. Er saß

auf dem Boden und hatte den Kopf gesenkt. Er antwortete nicht.

»Lucas«, sagte ich etwas lauter. »Er ist weg.«

Lucas sagte immer noch kein Wort, aber er richtete sich auf. Ich machte ihm Platz, damit er herauskrabbeln konnte.

Als das Licht auf ihn fiel, erschrak ich schon wieder (zum ich weiß nicht wievielten Mal in dieser Nacht), denn er hatte einen Ausdruck im Gesicht, den ich noch nie zuvor bei ihm gesehen hatte. Es war eine Mischung aus Angst und Hilflosigkeit.

»Mann«, quiekte Karli. »Das war knapp.«

»Du Ärmster«, sagte Stella. »Ist der immer so?«

Da schien Lucas wieder zur Besinnung zu kommen.

»Nee«, sagte er. »Geht schon.«

Er sah Karli und mich an.

»Danke«, sagte er. Und verschwand in der Finsternis.

Wohin wollte er denn? Er konnte doch nicht zu diesem Ekel zurück? Oder alleine in den Wald?

»Hey!«, rief ich.

Lucas blieb stehen und drehte sich um.

»Wo willst du denn hin?«, fragte ich. »Bist du irre? Du kannst doch jetzt nicht im Wald rumlaufen.«

»Doch«, sagte Lucas.

»Quatsch!«, sagte Luna und sprang auf. »Du bleibst hier, bei uns.«

»Bestimmt nicht«, sagte Lucas. Aber er blieb stehen.

»Hier ist noch ein Schlafsack von meinem Bruder«, sagte Luna und hob das Bündel auf, das auf dem Boden neben ihrem Zelt lag. »Den kannst du für heute Nacht haben.«

Lucas biss sich auf die Lippe.

»Bleib hier«, sagte ich. »Da draußen im Wald ist es beschissen gruselig, das kannst du mir glauben.« Ich grinste.

Lucas grinste zurück, wenn auch ziemlich schief.

»Okay«, sagte er schließlich und setzte sich zwischen Karli und Stella auf den Boden.

»Wir spielen gerade Mau-Mau«, sagte Luna. »Spielst du mit?«

Es war aber eigentlich gar keine Frage. Sie mischte die Karten schon neu und teilte für Lucas mit aus.

Tja, und so saßen wir da und spielten mit Lucas Mau-Mau. Die Stimmung war aber nicht mehr besonders gut und wir waren auch müde. Es dauerte also nicht lange, bis wir in unsere Zelte krochen. Lucas rollte sich in Justus' Schlafsack gegenüber von unseren Zelten zusammen. Als ich unsere Lampe vom Ast nahm, schlief er schon. Auch aus dem Zelt der Mädchen war nichts zu hören.

Karli und ich konnten jedoch nicht gleich einschlafen. Wir lagen noch eine ganze Weile wach und redeten leise miteinander.

»Wenn ich so an Lucas' Vater denke, bin ich richtig froh mit Papa«, sagte ich. »Er ist kein Feuerwehrmann und ihm gehört auch kein Autohaus. Und besonders mutig ist er auch nicht. Er ist ziemlich uncool. Aber er ist nie gemein zu mir.«

»Außerdem«, sagte Karli, »ist Lucas' Vater auch nicht cool. Überhaupt nicht. Man muss nicht besonders mutig sein, um sich an Leuten zu vergreifen, die schwächer sind.«

Wir schwiegen eine Weile. In meinem Kopf ratterte es.

Das, was wir in diesen Ferien von Lucas und seiner Familie

mitbekommen hatten, passte so gar nicht zu dem, wie wir ihn von der Schule her kannten. Da war er doch immer der Tolle und Coole und Starke gewesen, mit dem reichen Papa und den teuren Klamotten.

»Weißt du was?«, sagte ich. »Lucas ist gar nicht so cool. Der traut sich doch gar nichts, jetzt, wo er alleine ist.«

»Genau«, sagte Karli. »Eigentlich sind wir viel cooler. Wir haben es schließlich geschafft, den Fabs eins auszuwischen. Und wir waren immerhin nur zwei gegen fünf!«

Obwohl ich in der Dunkelheit nichts sehen konnte, merkte ich, dass Karli grinste. Man hörte es, wenn er sprach.

»Also, Supersportler werden wir beide nicht«, sagte er. »Aber ich glaube, man muss kein Supersportler sein, um cool zu sein.«

»Nee«, sagte ich. »Mutig muss man sein. Und das sind wir. Und wir sind echt gute Musiker. Sagen jedenfalls Julius und Benedikt. Und die müssen's ja wissen.«

Ich dachte daran, wie Julius mir anerkennend auf die Schulter gehauen hatte, als ich getrommelt hatte. Und wie prima Karli sang, wusste mittlerweile auch jeder.

»Ich will nicht *Hoch auf dem gelben Wagen* singen«, sagte Karli und lachte. »Aber ich will auch keinen Hip-Hop singen.«

»Wir werden Rockmusiker«, sagte ich. »Coole Rockmusiker. Wie Benedikt und Julius.«

»Genau«, sagte Karli. »Und Luna und Stella werden unsere Groupies.«

»Das mit dem lässigen Schlendern sollten wir aber tatsächlich üben«, sagte ich.

»Ich glaube, ich lasse meine Haare ein bisschen wachsen«, sagte Karli. »Dann kann ich sie herumwerfen, wenn ich singe. Und man sieht meine Ohren nicht so.«
In meinen Gedanken spielte ich Schlagzeug, bis ich einschlief.

Am nächsten Morgen, als ich aus dem Zelt kroch, war Lucas weg. Der Schlafsack lag zusammengerollt dort, wo wir gestern Abend Mau-Mau gespielt hatten.
»Armer Kerl«, sagte Luna, als wir unsere Sachen zusammenpackten. »Aber irgendwie auch komisch.«
»Komisch?«, sagte Karli. »Er ist der Anführer der coolsten Clique in unserer Klasse.«
»Ach, du lieber Himmel«, sagte Luna. »Justus ist auch der Held in seiner Klasse. Dabei ist mit ihm überhaupt nichts los. Diese Typen sind doch alle gleich.« Sie schüttelte den Kopf.
Ich grinste in mich rein.
Wir gingen zurück zu unseren Grundstücken und verabredeten uns mit den Mädchen für nachmittags am See.

... o: ... los!

Wenn mir jemand vor ein paar Wochen erzählt hätte, was in diesem Sommer alles passieren würde, ich hätte ihm kein Wort geglaubt.

Die letzten Ferienwochen vergingen wie im Flug. Wir sind noch zwei Wochen länger am See geblieben, als Papa und Opa geplant hatten. Denn am Tag nach der Zeltnacht im Wäldchen gab es noch eine große Überraschung.

Wir saßen gerade gemütlich beim Frühstück, Papa, Opa, Karli und ich, als das Tor aufging und zwei Frauen aus Tausendundeinernacht auf die Wiese kamen. Zumindest dachten wir das – wir hätten die beiden fast nicht erkannt. Papa hatte zwar gehofft, dass Mama nach dem Urlaub wieder nach Hause kommen würde, jetzt, wo Rosi immer blasser wurde. Aber dass Mama einfach so auf dem Campingplatz auftauchte, mit Karlis Mutter im Schlepptau, das hatte keiner ahnen können.

Papa ist fast vom Stuhl gefallen, als er Mama gesehen hat. Sie trug einen goldenen Wallerock und Ohrringe, die klimperten und ihr bis auf die Schultern hingen. Frau Rosenberg sah so ähnlich aus.

»Salam alaikum«, sagte Mama und tänzelte um Papa rum. Ich bin ja fast im Boden versunken und war heilfroh, dass uns keiner zuguckt hat.

»Hier«, sagte sie und beugte sich so vor, dass Papa ihre Schulter sehen konnte. Da waren irgendwelche Zeichen eintätowiert.

»Was ist das denn?«, fragte Papa. Ihm fielen fast die Augen aus dem Kopf.

»Das heißt *Eric*«, sagte Mama.

Papa guckte wie ein Kamel.

»Na, als Belohnung, weil Rosi jetzt weg ist! Hab ich in Ägypten machen lassen.«

»In Ägypten?«, hat Papa gerufen.

»Frauenurlaub«, hat Frau Rosenberg gesagt und mit ihren goldenen Armbändern geklimpert.

»Ihr wart in *Ägypten*?«, sagte Papa. Seine Stimme klang ganz schwach, und er sah aus, als wäre das alles viel zu viel für ihn.

»Ja, glaubst du denn, wir sitzen zu Hause rum, während ihr hier Urlaub macht?!«, fragte Mama und schüttelte den Kopf.

Papa antwortete nicht. Er schaute Mama nur an. Irgendwie sahen sie beide so aus, als ob sie sich sehr freuten, sich wiederzusehen.

Es wurden noch richtig schöne Tage. Mama und Papa und Frau Rosenberg freundeten sich mit Lunas und Stellas Eltern an und wir Kinder hingen sowieso die ganze Zeit zusammen. Und weil es uns allen so gut gefiel, beschlossen Papa und Mama und Frau Rosenberg, einfach noch zwei Wochen dranzuhängen und Papas ganzen Urlaub auf dem Campingplatz zu verbringen.

Lucas haben wir nur noch ein paarmal von Weitem gesehen,

wenn er hinter seinen Eltern herlief oder am Strand lag und Musik hörte. Ohne seine Fabs war er blöd dran. Er war fast immer alleine und sah nicht sehr glücklich aus.

Karli und ich hingegen hatten eine sensationelle Zeit. Wir haben fast jeden Tag mit den Mädchen was gemacht. Wir haben uns sogar Fahrräder ausgeliehen und jeden Morgen zusammen die Brötchen geholt. Mittags waren wir meistens am Strand. Einmal sind wir mit dem Boot auf eine kleine Insel im See gefahren. Papa und Opa haben Karli und mir unsere Sachen zurückgegeben. Wir spielten also manchmal gegen die Mädchen *Feast of the Dragon* (und gewannen übrigens meistens).

Mit dem MP3-Player konnten wir aber nichts mehr anfangen, da hatten wir ja nur Hip-Hop-Musik draufgeladen und die wollten wir uns gar nicht mehr anhören. Stattdessen haben wir fast jeden Tag mit den beiden großen Brüdern selbst Musik gemacht. Julius sagte, ich sei der geborene Schlagzeuger. Papa und Mama und Opa und Frau Rosenberg waren ganz beeindruckt, als sie Julius und Benedikt und Karli und mir beim Musikmachen zuhörten. Sie versprachen Karli und mir, dass wir zu Hause Musikunterricht nehmen durften.

Am letzten Abend gab es ein großes Feuerwerk, und es hat ausgesehen, als würde es Gold regnen. Wir waren alle zusammen unten am Strand und sahen zu, wie tausend bunte Feuerwerksraketen über dem See aufleuchteten und mit Geratter und Geknalle über dem Campingplatz explodierten.

Ich fühlte mich sensationell gut. Ich hatte einen echten Freund gefunden, meine Familie war wieder vereint und neben mir stand das tollste Mädchen der Welt.

»He«, sagte Luna und stieß mich an. »Wenn wir wieder zu Hause sind, treffen wir uns weiter. Oder?«

Ich musste mich ganz schön beherrschen, damit ich ganz cool antwortete und nicht so aufgeregt, wie ich in Wirklichkeit war.

»Von mir aus gern«, sagte ich.

»Gut«, sagte Luna.

Und genau da explodierte die allerschönste Rakete. Tausend silberne Sterne funkelten und glitzerten am Nachthimmel. Vielleicht konnte ich mir was wünschen? Bei Sternschnuppen kann man das ja und diese Sterne hier waren genauso schön

wie echte Sternschnuppen. Wenn man seinen Wunsch nicht verrät, geht er in Erfüllung.

Ich hab mir was gewünscht. Leider kann ich euch nicht verraten, was es war. Aber es war ein prima Wunsch, das könnt ihr mir glauben!

Murphy ist übrigens nicht mehr aufgetaucht. Ich glaube, das mit Murphys Gesetzen ist Quatsch. Dieser Murphy will einen damit bloß ärgern. Karli und ich haben es ausprobiert. Mama war nicht begeistert, als sie sah, wie wir beim Frühstück bestrichene Brötchen auf den Boden fallen ließen. Mal fiel die bestrichene Seite nach unten, mal die andere.

»Ihr habt sie wohl nicht alle!«, fuhr sie uns an. »Mit Essen rumzuspielen!«

Ich hob die auf dem Boden verstreuten Brötchenhälften auf.

»Keine Sorge«, sagte ich. »Wir essen sie noch.«

Mama schüttelte den Kopf und grummelte herum.

»Ich glaube, diesem Murphy muss man mal sagen, dass er spinnt«, sagte Karli.

»Ja, wahrscheinlich will er nur, dass andere schlechte Laune kriegen, weil er selbst so mies drauf ist«, sagte ich.

Jedenfalls haben wir Murphy nicht mehr gesehen. Wir vermissten ihn nicht.

Wir schweben!
(Und Murphy guckt von unten zu.)

Murphys Gesetze sind Blödsinn.
(Martins Gesetz)

Es war ein seltsames Gefühl, wieder zur Schule zu gehen. In den letzten Wochen war so viel passiert, dass ich das Gefühl hatte, es seien Jahre vergangen, seit ich zum letzten Mal in das Schulgebäude gegangen war.

Vor der Klassentür schauten Karli und ich uns an.

Wir zählten rückwärts.

Drei …

Zwei …

Eins …

Los!

Zuerst guckte keiner, als wir reinkamen. Dann merkte ich, wie ein Getuschel begann. Diesmal machte es mir aber nichts aus. Meine Mutter und Theodora Rosenberg hatten mir in den letzten Tagen so oft gesagt, wie irrsinnig ich mich gemacht hätte und wie toll ich aussehen würde, dass ich mich selber gar nicht mehr so schlecht fand. Eigentlich, finde ich, sehe ich fast so aus, als müssten sich reihenweise Mädchen in mich verlieben.

Karli auch. Er war gewachsen. Seine Haare auch. Wie sie da so lässig um die braun gebrannten riesigen Ohren hingen, sah Karli aus wie ein Rockstar (ein Rockstar mit Riesenohren).

Offensichtlich fanden das auch ein paar Mädchen, denn als wir durch die Reihen gingen, sah ich ganz genau, wie ihre Augen groß wurden wie Untertassen.

»Ihr müsst gucken, was sie mit ihren Haaren machen«, hatte Theodora Rosenberg uns eingeschärft. »Mädchen, die jemanden anhimmeln, fahren sich mit der Hand durchs Haar, so ungefähr.«

Sie hatte sich die Haare aus der Stirn gestrichen und dabei ziemlich dämlich mit den Augen geklappert und gegrinst. Es hatte echt albern ausgesehen, aber jetzt merkte ich, dass Frau Rosenberg Ahnung hatte: Das, was Aline, Sarah und noch ein paar Mädchen gerade machten, sah original genau so aus, wie sie es vorgemacht hatte.

Ich grinste in mich rein.

Karli und ich beachteten die Hühner gar nicht (»Nur nicken, nicht zurücklächeln!«, hatte Frau Rosenberg gesagt) und ließen uns auf unsere Plätze fallen.

Wir sahen uns nach den FabFive um. Lucas war noch nicht da. Die anderen Fabs starrten zu Karli und mir herüber, als wären wir zwei Geister in mittelalterlicher Tracht.

Kurz bevor es klingelte, kam Lucas herein.

Er ging an unserem Tisch vorbei.

Er nickte Karli und mir zu.

Es sah fast so aus, als wollte er stehen bleiben, aber ob er das wirklich vorgehabt hatte, konnte ich nicht mehr herausfinden, weil Lemmel hereinstolzierte und Lucas machte, dass er auf seinen Platz kam.

Bevor ich weiter darüber nachdenken konnte, bekam mein Hochgefühl einen Dämpfer: Es war wieder ein Lemmel-Abfragetag. Am ersten Tag nach den großen Ferien ist eigentlich jeder Lehrer noch ganz gemütlich. Die meisten haben wahrscheinlich genauso wenig Lust wie wir, in einem stickigen Klassenraum zu sitzen statt am Strand oder im Garten oder sonst wo. Deswegen lassen es alle Lehrer an diesem Tag ziemlich langsam angehen.

Fast alle jedenfalls: alle außer Lemmel.

Für den oberfiesesten aller Lehrer ist es natürlich das Größte, schon am ersten Schultag nach den großen Ferien die ersten miesen Noten zu verteilen.

Mir war es wurscht, ich steh in Englisch ganz gut, und ich hatte absolut keine Zeit und Lust gehabt, in den Ferien Vokabeln zu lernen. Diese Ferien waren die besten überhaupt gewesen und dafür nahm ich eine Fünf gern in Kauf. Ich hatte aber so ein komisches Gefühl, wen es treffen würde. Bei Lemmels schlechter Laune war davon auszugehen, dass er jemanden drannehmen würde, der in Englisch grottenschlecht war, damit er ihm *sicher* eine Sechs reinwürgen konnte. Und der Schlechteste in Englisch ist bei uns eindeutig Lucas.

Der Lemmel hat sich vorne aufgebaut und gesagt: »Na, mit wem beginnen wir denn dieses Schuljahr …?«, und dann hat er ein paar Leute angeguckt, als ob er tatsächlich überlegen würde, wen er drannehmen sollte. Schließlich ist er nach hinten gegangen, hat sich dicht vor Lucas' Bank gestellt und ganz langsam gesagt: »Herr … Berger.«

Lucas hat geschluckt und ist aufgestanden.

Ich dachte an Lucas' Vater. Daran, wie fies er war. Ich konnte mir richtig gut vorstellen, dass er nur darauf wartete, dass Lucas wieder einmal versagte.

So einen Vater hatte niemand verdient.

Und dann hatte ich eine Idee.

Wenn der Lemmel ein Wort auf Deutsch sagte und darauf wartete, dass Lucas mit der englischen Vokabel antwortete, schrieb ich sie groß auf ein Blockblatt. Ich konnte den Block gut so halten, dass Lucas die Wörter lesen konnte, er saß ja nur eine Reihe hinter mir. Lemmel kriegte davon nichts mit, zum einen, weil er nie damit rechnen würde, dass jemand sich in seinem Unterricht so was traute, und außerdem war er viel zu versessen darauf, Lucas dabei zuzusehen, wie er mit vor Verlegenheit und Angst hochrotem Kopf dastand und ewig für eine Antwort brauchte.

Lemmel hat ihn knallhart abgefragt. Mindestens zwanzig Vokabeln, und ein paar waren ganz schön fies schwer.

Lucas hat fast immer richtig geantwortet. Nur dreimal lag er daneben: Einmal hat er wohl meine Schrift nicht lesen können und zweimal wusste ich die Vokabeln auch nicht.

Der Lemmel war völlig verblüfft, dass Lucas nicht, wie erwartet (und von ihm erhofft), versagt hatte, aber noch viel mehr war er angesäuert, weil er ihm keine Sechs geben konnte.

»Aha, da hat anscheinend jemand in den Ferien seinen Kopf nicht nur dazu benutzt, Kopfhörer aufzusetzen. Eine Drei wird wohl in Ordnung gehen, nicht wahr?«, sagte Lemmel und zückte sein Notizbuch.

Ich fand die Drei eine himmelschreiende Ungerechtigkeit,

eine Zwei plus wär ja das Mindeste gewesen. Lucas aber war offensichtlich so froh, endlich mal keine Fünf oder Sechs zu bekommen, dass er nur »Ja, sicher« sagte und sich mit einem Weihnachtsbaumlächeln wieder hinsetzte. Ich dachte daran, wie er seinem Vater von der guten Note berichten und vielleicht endlich einmal keinen Ärger bekommen würde.

Es war schon komisch. Das letzte Mal, als wir gemeinsam in diesem Klassenraum gesessen hatten, waren wir uns spinnefeind gewesen und hatten versucht, uns gegenseitig das Leben schwerzumachen. Jetzt, sechs Wochen später, war alles anders. Ich mochte Lucas immer noch nicht sonderlich, und er würde sicherlich nicht mein bester Freund werden (der saß neben mir und schrieb ab, was Lemmel gerade an die Tafel kritzelte, wobei ein Ohr aus seinem Haarwust herausragte), aber so, wie es aussah, würden wir uns nicht mehr bekriegen. Wir konnten uns gegenseitig einfach in Ruhe lassen.

Lange konnte ich darüber allerdings nicht nachdenken, denn auf einmal stupste Karli mich an.

»Lucas will irgendwas«, flüsterte er mir zu und deutete mit dem Kopf nach hinten.

Ich drehte mich um und sah gerade noch rechtzeitig, wie ein Zettel durch die Luft geflogen kam. Lucas machte mir Zeichen, dass er für mich bestimmt war.

Ich faltete den Zettel auf.

Danke, stand da. *Der Affenarsch da vorne hat saublöd geguckt.*

Ich grinste und wollte gerade Karli den Zettel zeigen, als ein unangenehm langer und kalter Schatten auf mich fiel. Noch bevor ich hochguckte, wusste ich, zu wem der Schatten gehörte. In der Klasse war es so still wie vor einem Sturm, wenn die Vögel aufhören zu singen.

»Aufstehen!«, sagte Lemmel.

Ich stand auf.

»Her damit!«, sagte er und deutete auf den Zettel, den ich immer noch in der Hand hielt. Mir wurde schlecht. Ich hatte keine Ahnung, ob Lemmel gesehen hatte, wo der Zettel herkam. Das wäre für Lucas der Super-GAU.

»Her damit«, sagte Lemmel wieder.

Ich sah ihn an, wie er da stand mit dem gehässigen Blick in den Augen. Auf einmal erinnerte er mich an jemanden. Jemand, in dessen Augen ich genau dieselbe Bosheit gesehen hatte, jemand, der auf keinen Fall erfahren durfte, dass sein Sohn schon am ersten Schultag Ärger bekommen hatte.

»Los!«, zischte Lemmel.

Und dann hob ich die Hand mit dem Zettel hoch, und bevor Lemmel danach greifen konnte, stopfte ich mir den Zettel in den Mund. Es passierte einfach so. *Schwups*, war das Papierknäuel drin. Mann, war das trocken! Lemmel starrte mich an wie das achte Weltwunder.

Die ganze Klasse holte hörbar Luft.

Und ich, ich kaute.

Ich hätte nicht gedacht, wie zäh ein Stück Papier sein kann. Lemmel sagte immer noch kein Wort und das Papier war zu einem matschigen Knäuel geworden. Jetzt wollte ich auf Nummer sicher gehen. Ich schluckte einmal kräftig und – *schlurpswürg* – quälte den Zettel die Speiseröhre runter. Dann musste ich rülpsen.

Lemmels Augen quollen hervor.

»Verzeihung«, sagte ich und setzte mich wieder, denn jetzt bekam ich doch weiche Knie.

Dann kam eine Pause, die sich anfühlte wie eine Ewigkeit.

»Das«, sagte Lemmel, der offensichtlich seine Stimme wiedergefunden hatte, »das wird ein Nachspiel haben, Ebermann! Verlass dich drauf!«

Dann drehte er sich um und ging nach vorne.

Karli sah mich an, als hätte er ein Kalb mit Schweinsohren vor sich.

»Wow«, sagte er.

Lemmel machte weiter, als wäre nichts geschehen.

Ich konnte selbst kaum glauben, was gerade passiert war. Aber ich muss sagen, es fühlte sich großartig an.

Lemmel sagte auch nach der Stunde kein Wort zu mir. Er rauschte direkt aus dem Klassenzimmer raus, als ob er unbedingt zu einem extra auf ihn wartenden Flieger müsste. Keine Ahnung, ob da irgendwann noch was kommt. Es ist mir aber auch wurscht. Lemmels Gesicht und dass Lucas keinen Stress mit seinem Vater bekommt, ist es auf jeden Fall wert, was auch immer Lemmel mir aufbrummen wird.

Dann fingen alle an, wild durcheinanderzureden.

»Danke«, sagte Lucas. »Das war echt cool von dir.«

Er streckte mir die Hand hin.

Ich sah in Lucas' Augen. Sie waren anders als die seines Vaters.

»Kein Problem«, sagte ich und schlug ein. »Dafür krieg ich gern die Scheißeritis.«

Alle lachten. Ich grinste so breit, dass ich sicher aussah wie ein Breitmaulfrosch.

Tja, wer hätte das vor ein paar Wochen gedacht. Karli und ich, die Freaks, sind jetzt genauso cool wie die anderen aus unserer Klasse, eigentlich sogar noch cooler als die Fabs. Damit haben wir unser Ziel erreicht. Komisch eigentlich, denn wir haben nichts von alldem gemacht, von dem wir dachten, dass man das können muss, um cool zu sein. Wir mögen immer noch keinen Hip-Hop und Fußball spielen wir auch nicht. Aber das ist jetzt sowieso nicht mehr wichtig. Ich habe nämlich Besseres zu tun, als mir über Coolsein und Nichtcoolsein Gedanken zu machen: Gleich sind Karli und ich mit Luna und Stella im Eiscafé verabredet, und danach schauen wir bei Benedikt und Julius im Proberaum vorbei, im Keller der Musikschule. Wir wollen gemeinsam Gitarrenunterricht nehmen, Karli und ich. Wer weiß, vielleicht gründen wir irgendwann sogar mal 'ne Band.

Wenn ihr auf echte Rockmusik steht, haltet die Augen auf bei den CD-Regalen, könnte ja sein, dass was von uns drinsteht. Ihr müsst bei F schauen, denn einen Namen haben wir schon:

Wir sind »Die Freaks«!